Sgyrsiau Noson Dda
EMLYN RICHARDS

Sgyrsiau Noson Dda

Emlyn Richards

Cyflwyno'r Gŵr Gwadd

1. Te efo Nain a Choelion Tywydd

2. Hwyl Llwyfan

3. Perl ym Mhen Llyffant

Argraffiad cyntaf: 2013

Rhif rhyngwladol: 978-1-84527-408-5

Mae'r cyhoeddwr yn cydnabod cefnogaeth ariannol
Cyngor Llyfrau Cymru

Cynllun clawr: Olwen Fowler

Cyhoeddwyd gan Wasg Carreg Gwalch,
12 Iard yr Orsaf, Llanrwst, Conwy, LL26 0EH.
Ffôn: 01492 642031 Ffacs: 01492 641502
e-bost: llyfrau@carreg-gwalch.com
lle ar y we: www.carreg-gwalch.com

Cynnwys

Cyflwyno'r Gŵr Gwadd

Ganwyd Emlyn Richards yn un o wyth o blant yn Llidiart Gwyn, Sarn Mellteyrn – hen gartref ei dad. Bwthyn bychan iawn ydi hwnnw – doedd ynddo ddim ond siambar i lawr a thaflod i fyny a hen ysgol i ddringo yno. Gan eu bod yn griw o blant, roedd y cartref yn llawn iawn erbyn i Harri gael ei eni ac mae Mair y chwaer yn cofio iddi dorri'r newydd wrth Emlyn y byddai'n rhaid iddyn nhw symud i fyw rŵan bod y babi wedi cyrraedd.

'I lle?' oedd cwestiwn Emlyn.

'I Fotwnnog.'

'Faint o daith ydi honno?'

'Dwy filltir.'

A dyma Emlyn yn dechrau crio wrth eu gweld nhw'n gorfod mynd mor bell i ffwrdd.

'Mi fuon ni'n gweini ffermydd ac yn cysgu mewn

llofftydd stabal efo'n gilydd,' meddai Harri Richards, ei frawd. Roedd 'na dri ohonon ni'n frodyr yn llofft stabal Neigwl Ucha – mae'n siŵr iti mai ni oedd y rhai dwytha i gysgu'n llofft stabal yn y pen yma. Roedd 'na rwbath yn ddifyr iawn ynddo fo, lot o ryw hwyl a ballu, ond doedd 'na ddim mod-cons, wrth gwrs. Molchi mewn dŵr oer fyddan ni debyg iawn ond doedd neb yn meddwl dim am y peth 'radag honno.

'Dwi'n cofio Harri'n dod i'w wely – yng ngolau cannwyll 'te – a finnau wedi mynd i 'ngwely ac wedi syrthio i gysgu o'i flaen o. Be wnaeth o ond rhoi gwêr poeth o'r gannwyll yn fy nghlust i!

'Mewn llofft stabal oeddan ni pan dd'udodd Emlyn wrtha' i'r tro cynta ei fod o'n meddwl mynd am y weinidogaeth. '"Iesu annwl!" dd'udis i, dwi'n siŵr. Roeddan ni yn cysgu'n llofft stabal Berth-lwyd erbyn hynny ac roedd 'na was arall – Elis – ar yr un ffarm, ond ei fod o'n cysgu adra ym Motwnnog efo'i wraig.

'Roedd Emlyn isio mynd i bregethu i gapel Batus Ty'n Donnan ar Ros Botwnnog ryw noson a be' 'nath o oedd gofyn i Elis fynd â'i sgidia adra'r noson cynt i'w polisho nhw cyn yr oedfa. Mi ddaeth Elis â'r sgidiau yn eu holau wedi'u polisho y tu mewn!

'Efo Harri Parri y buo fo'n y coleg. Doedd y ddau ddim ffit efo'i gilydd. Roeddan nhw'n sythu'r ffordd ym Mhontllyfni a'r ddau ar eu ffordd i Fangor, Emlyn yn dreifio. Roedd 'na ddyn ym mhob pen i'r gwaith gyda baner goch i reoli ffrwd y traffig.

"Mae isio ti gadw mor agos ag y medri di at ddyn y fflag 'ma, cofia," medda Harri wrth Emlyn.

'Emlyn yn ufuddhau – ac wrth basio, dyma fraich Harri allan a bachu'r faner o law'r gweithiwr druan! Doeddan nhw ddim ffit efo'i gilydd.'

Mae 'Robs Pentre' – R. W. Griffith, Blaen y Wawr, Pwllheli – yn nabod 'Emlyn Lôn' ers bore oes ac yn medru'i ddal mewn gwniadur:

'Cymro, cyfaill, cymwynaswr, cymêr, a siaradwr cyhoeddus diguro, heb anghofio – pregethwr diddorol a gweinidog gweithgar.

Mesur da o adnabyddiaeth ydi bod rhywun yn medru tynnu coes heb dramgwyddo. Dyma dro trwstan am Emlyn a ddaw i gof Robs Pentre:

'Un bore Sul braf roedd Emlyn wedi cael menthyg autocycle gan Siôn Cae'r Llo i fynd ar un o'i Suliau cyntaf i bregethu i Bencaerau, Rhiw a'r cyffiniau. Dewis annoeth o drafnidiaeth, ddwedwn i, gan fod sodlau Allt Coch Moel bron yn Y Lôn, sef cartref Emlyn, gyda'i bump brawd a'i ddwy chwaer. I'r rhai ohonoch sydd â gwybodaeth am autocycle, mae nerth y peiriant mor wantan fel nad yw'n ddigon cryf i dynnu croen oddi ar bwdin reis. Rhyw fwngrel o beiriant rhwng beic cacwn a beic arferol oedd o, fel pe bai wedi'i roi at ei gilydd yng ngolau lleuad.

'Roedd gorchymyn pendant i Emlyn droi'r tap petrol i ffwrdd ar ôl cyrraedd pen y daith oherwydd mai carbiwretor o wneuthuriad AMAL oedd arno. Diben hynny oedd fod traul blynyddoedd wedi dirywio'r cyfansoddiad a'r hyn ddigwyddodd oedd fod i'r fflôt sticio gan biso'r petrol allan trwy'r twll pin oedd i fod i adael aer i'r cwpan. Anghofiodd Emlyn droi'r tap i ffwrdd wrth gwrs, a'r canlyniad oedd fod y tanc wedi mynd yn hesb. Roedd Emlyn wedi ymlâdd yn padlo hwn ar hyd Ben Rhiw, roedd fel pe bai yn Sbaen ar y pedalo ond ar dir sych.'

Ac nid dyna'r unig anffawd deithiol a ddaeth i ran y pregethwr crwydrol:

'Roedd brawd hynaf Emlyn a Wil Faerdref ei ffrind yn dod adref o'r Sarn ar nos Sadwrn, wedi bod ar yr heiddan, ac yn eistedd yn y car yn sgwrsio. Meddai Wil yn ei ffordd ddihafal ei hun, "Tydi'r hogyn Emlyn 'na yn cadw'i gar mewn lle gwirion!" Roedd brêc llaw yr hen

Vauxhall du wedi gollwng – neu fod Emlyn heb ei godi o gwbwl – ond y gwir amdani, doedd y brêc fawr o werth ar ddim un o'r pedair olwyn. Roedd yr hen gar wedi croesi'r ffordd ac wedi mynd â'i drwyn i'r ffynnon a'i din i fyny fel ostrich. Dyma'r ddrama yn dechrau! Codi Ifan Richards, ei dad, y plant i gyd yn deffro a Jane Ann yn bacstandio fel fforman arnynt. Nôl y gaseg o'r cae pellaf, rhoi dindras ar honno a'r fantol i ddosbarthu'r rhaffau a phawb i'w wthio pan oedd y slac dynn. Fuo rioed ffasiwn gomosiwn mewn gwlad efengyl! A thrwy ryw ryfedd wyrth, ni falwyd na difrodi'r car o fath yn y byd. Diolch am hyn gan fod Emlyn eisiau mynd i bregethu i sir Feirionnydd yn y bore!

Blas y pridd sydd ar y stori nesaf gan Robs Pentre:

'Dwi'n cofio, fel ddoe, chwalu gwair gyda phicwach yn weirglodd Tŷ Rhent ar lan afon Soch - Harri, Emlyn, Cerwyn Evans y ffermwr a minnau. Roedd Cerwyn dipyn yn hŷn na ni. Roedd yn boeth felltigedig a dyma'r sŵn rhyfeddaf yn dod i fyny'r afon. Beth oedd yno ond awyren enfawr gyda dau bropelar ynddi yn hedfan yn sobor o isel, newydd godi o faes awyr Llanbedr ac ar ei ffordd i'r Fali ym Môn. Roedd yn amlwg fod rhywbeth o'i le ar un o'r peiriannau. Roedd yn clecian ac yn bacffeirio yn y modd mwyaf. Meddyliais am funud bod yr Ail Ryfel Byd wedi ailddechrau. Gofynnodd Cerwyn

Evans, "Beth ar y ddaear wen oedd yn bod ar honna?" Heb betruso dyma Emlyn yn dweud, "Duwcs, y peilot oedd wedi'i throi ar TVO yn rhy fuan!" Roedd hwnnw'n ddywediad oedd yn aml iawn ar wefusau ffermwyr yn y dyddiau hynny. Nid yw'r oes hon yn gwybod beth oedd TVO – Tractor vapourising oil. Roedd hen dractorau yn tanio ar betrol ac yna byddid yn troi'r injan ar y TVO ar ôl iddi gynhesu. A dyna i chi oglau hyfryd oedd hwnnw – nid fel y diesel drewllyd mae pawb yn ei ddefnyddio heddiw.'

A dyma stori gefn gwlad arall i gloi ei gyfraniad:

'Penderfynwyd ffreta llygod ar dir fy modryb, Nan Ann, Plas Coch, rhyw bnawn dydd Sadwrn ac roeddwn wedi cael gorchymyn gan fy mrawd, John Pentre i lwgu'r fferat am ddiwrnod er mwyn ei gwneud yn ffyrnicach gyda'r llygod. Erbyn heddiw, o edrych yn ôl, dwi ddim yn siŵr ei fod yn syniad call. Yn bresennol yn yr antur roedd fy nhad, John fy mrawd, William Tregrwyn a minnau. Pwy oedd yn pasio ar ei feic ond Emlyn ac, wrth gwrs, roedd ganddo ddiddordeb mawr yn y ffreta gan ei fod o deulu cwnhingwyr. Roedd ei dad a Harri ei frawd yn wnhingwyr o fri. Aeth Emlyn i ymricial gyda'r lein a thynnu'r fferat allan. A dyma lygoden fawr yn neidio allan a'r fferat i'w chanlyn. Ar amrantiad rhuthrodd y fferat i ben bys Emlyn a chau â gollwng, fy nhad yn gwasgu'i chynffon a phawb yn gweiddi mwrdwr! Y munud nesaf, dyma'r ast yn cael ffit ac yn troi mewn cylchoedd crwn yn udo rhyw sŵn byddarol. Roedd yn beth cyffredin i gŵn gael ffit yn y cyfnod hwnnw oherwydd bod rhyw gemegyn ar goll yn eu bwyd. Pe byddai rhywun diarth yn pasio ar hyd y ffordd buasant yn meddwl ein bod i gyd ar fadarch hud neu'n mynd o'n coeau yn dawnsio fel hipis! Anghofia'i fyth y pnawn hwnnw a dwi'n siŵr na wnaiff Emlyn chwaith. Doedd dim sôn am bigiad anti tetynys yn yr oes honno, dim ond joch o TCP a dyna fo!'

Mae gan y Parch. Harri Parri yntau atgofion mynwesol ac adnabyddiaeth ddofn o rinweddau Emlyn:

'Un Emlyn sydd yna. Ac mi fydda i'n meddwl amdano fo fel pysgotwr dynion. Beth bynnag y bwriad, o bregethu'r efengyl i roi darlith at iws gwlad, yr un ydi'r arddull. Fel pysgotwr afon, hamddena'i ffordd y bydd o a thaflyd abwyd i'r lli bob hyn a hyn:

"Dwi i'n gweld John yn fan'cw. Dew, un da ydi'r hen John."

"Fydda i ddim yn hir eto. Heblaw ma' gynnoch chi ddigon o amsar, does? Newch chi ddim byd arall heno 'ma?"

"Welis i'r fath beth rioed, ŵyr pobol Sir Fôn 'ma ddim byd am . . . "

Dyna'r pryd y clywir y cawodydd chwerthin sy'n llonni pob darlith a sawl pregeth – ond yn fwy cynnil wrth bregethu. Rhydd yr argraff ei fod y dyla'n bod. "Ma' 'ryw gompiwtars rŵan . . . " Ond *Yr Eglwys a'r Cyfryngau* oedd testun ei ddarlith, ysgolheigaidd, dreiddgar ar gyfathrebu cyfoes. Tu cefn i'r dweud agos atoch chi a'r traethu wrth fynd ymlaen, fel petai, mae yna bob amser ymchwil fanwl, darllen eang a pharatoi trylwyr.

"Gweini ffarmwrs" roedd o pan drewais i arno gyntaf; bu'n gweini i'r Arglwydd am dros hanner canrif. O gofio hynny, mae yna wedd arall i Emlyn. Ac mi wn i am honno. Yr un cwbl o ddifri a diwyro'i frwydr yn erbyn rhyfel ac anghyfiawnder a thros gyfiawnder a heddwch. Bob amser o blaid y gwan. Hiwmor, meddai J. B. Priestly, ydi un yn meddwl yn ddoniol ond yn teimlo i'r byw a hynny hefo'r un galon. A dyna chi Emlyn Richards.'

Ei groesawu i Fôn wnaeth Gerallt Lloyd Evans a chynulleidfaoedd niferus yr ynys honno:

'Fe wyddem ni'n iawn ym Môn am ddawn hynod Emlyn Richards cyn iddo gloi drws "y fflat bach cysurus yn rhif 41, Stryd Portland, Aberystwyth," chwedl yntau, a throi trwyn y Ford Popular (enw, yn ôl Emlyn, nad oedd yn gydnaws â'i berfformio!), am "Ael y Bryn", Cemais. Yn gwmni iddo oedd ei briod ifanc, Dora. A'r flwyddyn honno oedd 1962. Fe'i sefydlwyd yn weinidog ar "Bethesda" ar noson braf ym mis Medi –

mis, meddai'r dweud, y medrwn ni weld ymhellach nag ar unrhyw fis arall. Ac aros yno'n weinidog – a phregethwr i'w ryfeddu ato, am ddeugain mlynedd dda. Yno mae Emlyn a Dora o hyd.

Ddaeth o ddim atom yn waglaw: rhoes inni iaith lafar gyhyrog cefn gwlad Pen Llŷn a thafodiaith apelgar bro ei febyd yn wisg am ei bregethau, ei gyfraniadau cyhoeddus a'i gynnyrch ysgrifenedig toreithiog fel ei gilydd. Fu erioed wisg yn ateb ei diben mor effeithiol, "a'i ddatganiad mor ddiymdrech â chân aderyn." Meddai Syr Ifor Williams am un arall o wŷr mawr Môn – y Parchedig Thomas Williams, Gwalchmai. 'Does yna ronyn o ôl traul na chysgod blinder ar y wisg ers y noson braf honno o Fedi dros hanner can mlynedd yn ôl erbyn hyn. Hyn sy'n rhyfeddod. Ac am hynny, fu ennill clust ei gynulleidfaoedd fawr o gamp iddo o'r cychwyn cyntaf un, a'r bobl yn methu â pheidio gwrando arno fo.

Ennill clust, - a rhagor na hynny, ennill calon y bobol hefyd. Honno ydi'r gamp: yn hamddenol diddanu aelodau cymdeithasau, digon amrywiol eu crebwyll a'u cyrhaeddiad, wrth ddirwyn yn bwyllog hanesion llofft stabal ers talwm a'r hwyl a gaed yng nghanol llafur a lludded gweini ffarmwrs; yn ofalus yn trin a thrafod sylwadau y bonheddwr o'r Brynddu yn ei ddyddiaduron ymhlith criw mwy dethol na'i gilydd; yn cofleidio'r ychydig ar foreau Sul a chynhyrfu'r dyrfa mewn sasiwn a chymanfa. Yr un un (a defnyddio hen ymadrodd Cymreig nad oes modd ei gyfieithu) ydi Emlyn, yr un Emlyn. Dichon mai dyma'r ffordd dra-rhagorol i ennill calon y bobl.

Hen arferiad ym Môn gynt adeg y cynhaeaf fyddai gadael un neu ddwy wanaf wrth y dalar a'u cario nhw i mewn efo'r cribinion ar y diwedd; y tameidiau mwyaf blasus o ddigon yn ôl hen ewythr imi. A dyma Emlyn, ar fy ngwir, yn dal i gywain y tameidiau blasus i'r "'rar' wair", chwedl pobl sir ei fabwysiad!

Ym Môn, gwelodd amryw gydwybod gymdeithasol a brawdgarol Emlyn Richards wrth iddo fwrw'i ysgwydd o dan faich sawl mudiad a grŵp protestio. Un sy'n gwybod yn dda am yr agwedd honno ar ei weinidogaeth ydi Dylan Morgan, Y Cwpwrdd Cornel a mudiad PAWB:

'Y tro cyntaf i mi gyfarfod ag Emlyn oedd ym Mehefin 1989 yn anterth yr ymgyrch gyntaf yn erbyn Wylfa B mewn cyfarfodydd cyhoeddus lle roeddem ni ym mudiad Pobl Atal Wylfa B yn ymryson gyda chynrychiolwyr y Bwrdd Cynhyrchu Trydan Canolog. Roeddwn wedi clywed am ei weithgaredd cyn hynny gan gyfeillion yng nghangen Môn o CND Cymru. Yn y cyfarfodydd cyhoeddus hyn, gwelais Emlyn yn taro ergydion effeithiol iawn yn erbyn y coloneiddwyr niwclear, weithiau gyda phluen a chryn dipyn o

Adnabod y geiriau mewn protest heddwch

hiwmor, ac weithiau yn gwbl uniongyrchol a diwyro. Roedd y ddau ddull yn sicrhau bod y cynulleidfaoedd yng nghledr ei law.

Dyma oedd cychwyn cyfeillgarwch a chyfnod o gyd-ymgyrchu sy'n parhau hyd heddiw. Ar ôl i mi fentro i fyd gwerthu llyfrau a symud i fyw i Fôn ar ddechrau'r naw degau, cafwyd cyfnod o weithgaredd gan Gymdeithas yr Iaith ym Môn ac Emlyn yn barod iawn i annerch Rali Deddf Iaith yn Llangefni. Yn 1998 roedd y ddau ohonom yng nghanol y storm o brotest a gododd yn sgil cyhoeddi dau adroddiad damniol gan yr Archwilydd Dosbarth ar Gyngor Sir Ynys Môn. Mart Morgan Evans yn Gaerwen oedd y lleoliad ar gyfer cyfarfodydd Llais y Bobl, ac Emlyn yn llywio'r gweithgareddau yn ddeheuig o flaen tyrfa niferus oedd wedi cael digon ar ddiffygion y Cyngor. Mart Morgan Evans oedd y lleoliad ym mhennod nesaf ein cyfeillgarwch gydag Emlyn yn dod i anterth ei boblogrwydd fel awdur. Cafwyd nosweithiau lansio hwyliog a llwyddiannus i Potsiars, Môn, Pregethwrs Môn, Bywyd Gŵr Bonheddig, Rolant o Fôn y Bardd Gyfreithiwr, a Chymeriadau Ynys Môn.

Mae'r cylch wedi troi yn gyfan at y dechreuadau yn 1989 gyda'r ddau ohonom yn ymgyrchu yn erbyn ail ymdrech i godi Wylfa B. Yn ystod yr ymgyrch ddiweddaraf, bu Emlyn yn allweddol yn ei gefnogaeth i safiad dewr teulu Caerdegog yn gwrthod gwerthu tir i gwmni Horizon. Roedd y sefyllfa hon gyda theulu oedd wedi amaethu'r tir ers cenedlaethau yn barod i herio corfforaeth gyfalafol ryngwladol yn apelio at ei synnwyr o gyfiawnder economaidd a chymdeithasol, at ei bryder am ddifetha cornel o Fôn am byth, ac at ei wladgarwch cynnes.'

1. Te efo Nain a Choelion Tywydd

Rai blynyddoedd yn ôl bellach derbyniais becyn sylweddol o waith llenyddol Henry David, Penbryn Bach, Uwchmynydd. Yr oedd y teulu yma'n hynod gerddgar a diwylliedig, gyda dau blentyn Harry a Nancy, a oedd yn raddedig ill dau mewn cerddoriaeth. 'Fedri di wneud rhywbeth efo rhain?' meddai Nancy. Llond bag plastig mawr o bapurau, mwy o lanast yn nhyb y wraig. Cafwyd cuddfa iddynt ac yno y buont am flynyddoedd lawer, mae'r brawd a'r chwaer wedi'n gadael ers tro byd ac ar ddamwain megis, deuthum o hyd i'r bag plastig wedi'r holl flynyddoedd. Dyma ddechrau cytrowla a methu a rhoi'r gorau iddynt gan mor ddifyr a gwerthfawr oeddynt. Cofiwn fel y byddai Henry David yn ennill yn gyson yn y Cyfarfodydd Bach ac Eisteddfodau Penllŷn. Tystia'r defnyddiau mor ddiddorol ac eang fyddai'r cystadlaethau yn yr adran lenyddol: Enwi'r hen wyliau; Portread o bentref yn Llŷn; Coelion tywydd; Portread o gymeriad o Lŷn; Casgliad o hen feddyginiaethau; Yr hen ddull o fyw; Rhai o hen ddywediadau Llŷn a Braslun o Hunangofiant yr awdur. Yr oedd y piser bach yn fwy na llawn a theimlwn mor euog â 'chi lladd defaid' a chofiais gwestiwn Nancy eto: 'Fedri di wneud rhywbeth efo rhain?'

Addefais i'r Athro Bedwyr y byddwn yn chwilio a chasglu rhai o ddywediadau Llŷn collais y cyfle. Mi fyddai Bedwyr yn cynghori myfyrwyr ei ddosbarth yn y Brifysgol i fynd at nain i gael te a gwrando'n ddyfal a chasglu hen ddywediadau a geiriau. Mi ges i'r cyfle i gael te efo nain a'i gwrando'n plethu'r hen ddywediadau yma'n gelfydd a phwyllog dawn ryfeddol ydi'r ddawn i sgwrsio iaith yn dod yn fyw. Yn Bryncroes roedd nain yn byw ac yno y magwyd fy mam dyna ichi le magwrfa hen ddywediadau Llŷn. Dyna ichwi drêt odidog i hogyn bach fyddai'n gwrando ar nain a Lusa Llety Bella, ei chwaer yn sgwrsio fel pe bai hi'n lapio pob gair efo papur 'Dolig llais â'i lond o ddagrau a nain yn tueddu i fod yn frathog a chyflymu i bwrpas. Mi fyddai Anti Lusa yn rhoi prociad ddianghenraid i'r tân a chwilio am hir am le i gadw'r procer wedyn. 'Duwc annwyl, be wyt ti'n brywela hogan,' medda Nain, yn canmol rhyw hen fyrcutan. Roedd maddeuant gyda Lusa. Dyma ddau o hen eiriau Llŷn, neu dichon dau air Bryncroes, brywela a fyrcutan, doedd nain na'i chyfoedion yn poeni rhyw lawer am gywirdeb gair, ei swyn a oedd yn bwysig ac iddynt hwy dyna swyddogaeth gair. Yr oedd onomatopeia yn holl bwysig i nain er na wyddai ystyr y fath estron! Mae'n debyg y byddai trigolion straegar Bryncroes yn creu ambell air pan fyddai galw. Yr oedd ganddynt y fath ddawn i ddisgrifio cymeriad ei gampau ac yn enwedig ei ffaeleddau. Mi deimla i o bryd i'w gilydd isio holi mam ynglŷn ag ambell hen air, ond dim ateb. I bobol Llŷn erstalwm rhywbeth i'w siarad oedd iaith ac nid i'w 'sgrifennu, i'w gwrando nid i'w gweld. Mae'n rhaid i iaith gael ei siarad a'i gwrando er mwyn byw yn llawn.

Un o blant Bryncroes oedd Owen John Jones a roes inni gasgliad gwerthfawr o 'Ddywediadau Cefngwlad Llŷn ac Eifionydd' mewn cystadleuaeth yn 'Steddfod Genedlaethol Bro Dwyfor 1975. Mi roedd Owen John yn dalp o wlad Llŷn er byw darn oes yn Nyffryn Ogwen, yr oedd yn ŵr diwylliedig, yn ddarllenwr brwd â'i Gymraeg cyhyrog yn sawru'n gryf o ddaear Llŷn. Diolch i Wasg Gee am gyhoeddi ei gasgliad gwerthfawr *Dywediadau Cefn Gwlad*.

Ond heb os un o gyfeillion ffyddlonaf gwlad Llŷn, ei hiaith, ei ffordd o fyw ac yn arbennig ei dywediadau fu Gruffudd Parry – fe ddaeth Gruffudd yn un ohonom ym mhopeth. Wrth gwrs mi roedd ei fam yn dwad o Lŷn ac o ganlyniad mi fyddai nôd y lle ar ei thylwyth fyth. Bu dylanwad distaw a dirgel Gruffudd Parry yn ddyfnach lawer nag a ddychmygwn. Dylanwad a sicrhaodd fod cyfoeth y Penrhyn hwn mewn iaith, idiomau, ffraethineb a ffordd o fyw yn cael ei gyflwyno i genhedlaeth ar ôl cenhedlaeth. Chrwydrodd neb erioed yr un rhan o Gymru yn debyg i fel y bu i Gruffudd Parry: *Crwydro Llŷn ac Eifionydd* rhoes inni flas a gwefr yn ei gwmni wrth grwydro. Bron nad yw'r llenor nodedig hwn yn peri inni ei glywed yn 'sgrifennu. Mae ganddo feistrolaeth unigryw ar rym ac ar werth geiriau am iddo dreulio'i oes yn gwrando ar iaith Llŷn yn yr Ysgol, y Capel ac yn bwysicach fyth yn Siop y Pentra wrth loetran gofyn am bapur newydd. Mi roedd y gŵr hwn yn enjoio 'dywediadau Llŷn' ac mi fydda'n eu harddel pob cyfla' gai.

Dyma restr o rai o ddywediadau Llŷn – y rhai nodweddiadol o Lŷn:

Paid â brwela *siarad i ddim pwrpas, malu awyr*

Palu celwyddau *celwyddog*

Paid â berwi *malu awyr*

Rhad arno *gresynu dros rhywun*

Rhad yn dy gylch *gresynu dros rhywun*

Diddrwg didda *na drwg na da*

Dos i dy grogi *dos oddi yma – neu anobeithio*

Cyfrif llyfrithod *siarad yn wyllt. Yr oedd hen bill i'w ddweud yn gyflym i fendio llyfrithen – Llyfrithen, llyfrithen saith gwaith ar un gwynt*

Fel iâr dan badell *creadur anniben*

Fel malwen mewn tar *rhyfeddol o araf*

Fel ŵy ar ben trosol *ansicr a pharod i syrthio*

Mynd o lech i lwyn *yn llechwraidd*

Torri'r garw *llyfnu am y waith gynta dros y cwysi – caledwaith*

Tywydd teg ar ei ôl *balch o weld rhywun yn cefnu*

Cael Cawell *neb adref ar ôl galw*

Dim uwch bawb sowdl *er ymdrechu*

Lol botas maip *ynfydu*

Mynd â'i damaid o'i geg o *rhywun rheublyd iawn*

Caead ar ei biser *distewi rhywun*

Caiff y gath edrych ar y brenin *rhyw hawliau'n eiddo i bawb*

Clytio'r stori *cysylltir clytio â thrwsio dillad – 'rhoi clwt at dwll mewn dilledyn.' Ei ystyr yw gwella stori amheus*

Clywed fel cath *clywed yn dda*

Curo twmpathau *chwilio am wybodaeth heb ofyn yn uniongyrchol*

Cyfrif y cywion cyn eu deor *bod yn rhy optimistig heb ddigon o achos*

Cyn dywylled â bol buwch *fel y fagddu*

Godro bustach *buwch wael*

Cyn sicred â phader *coel grefyddol*

Cyn sobred â sant *perthyn i'r traddodiad dirwestol*

Gwisgo'r sgidiau at y gwaltas *gwisgo i'r byw*

Penbwl wedi methu mynd yn llyffant *un dwl ryfeddol*

Rhyw fudur berthyn *dim yn siŵr o'r berthynas*

Tri sychiad sach *pan wisgai'r gweision sachau i gadw'n sych, pwysig i'w sychu, o ganol Chwefror ymlaen fe geid gwynt sychu da, sychu cymaint â thri sach ar ôl eu gilydd*

Paid â llibinio'r gach yma *pyfrocio'r gath*

Cymer r'on bach igin *cwbwl nodweddiadol o Lŷn, yn golygu 'y mymryn lleiaf'*

Tan Sul Pys *yr amser na ddaw! Aiff Sul Pys yn ôl i hen arferiad o'r Gaseg Fedi a ddethlid ar ddiwedd y cynhaeaf. Fe geid cryn ddefod gyda phryd o bys wedi eu crasu gan yfed dŵr o'r ffynnon a hwn a elwid yn Sul Pys (Carling Sunday)*

Troi ei din i'r gwynt *gwrthod wynebu yr anodd*

Yr hen glechor *cymeriad di-ddrwg diddan*

Y gelach *creadur bychan iawn*

Fel gafr ar daranau *merch ar fynd yn barhaus*

Fel iâr siagan *iâr wedi gori'n hir ac wedi colli graen ei gwedd a'i phlu. Merch wedi colli dipyn o'r sglein*

Paid â lluchio dy gylcha *merch (gan amlaf) yn dangos ei hun*

Hen Sbon Huran ydi hi *gwirion a di-ddal*

Mae un adain yn y dŵr *mewn dormach* neu ddyled (* Hen ystyr y gair yn Llŷn yn golygu gormes, baich (oppression) gw. GPC)*

Mae hi â'i phen yn y gwynt *yn hollol ddi-hitio*

Ar y carped *galw rhywun i gyfrif*

Bach y nyth *y mochyn lleiaf mewn ael o foch*

Bechdan am achwyn *arwydd o anfodlonrwydd at rhywun a achwynodd*

Saith bywyd cath *gwytnwch bywyd mewn dyn neu anifail*

Mae hi'n oer aflawen *oer gynddeiriog*

Cymer fara Canrhog *bara o flawd rhyg a blawd gwenith yn gymysg*

Mae e'n blera o hyd *yfed yn ddi-reol*

Mae Sian yn blera yn y drôr *troi a throsi yn chwilio*

Paid â cytrowla* yn y drôr yma *troi a throsi yn chwilio*
(Un o eiriau Bryncroes)*

Mi welais flaen newydd heno *gweld lleuad newydd*

Gymeri di frechdan fawd? *brechdan diwrnod corddi a thaenu menyn meddal efo'r fawd o'r faedda*

'Beth am ŵy wedi rwdlo i swper?' *scrambled egg*

Wnewch chi frodio fy hosan i mam? *trwsio twll mewn hosan*

Carcha crydd brynaist ti? *esgidiau rhy fychan*

Carchar gwely *caniatau i ddau gariad fynd i'r un gwely efo'i gilydd ond fod y gynfas oddi dan un a thros y llall ac yn ffurfio gwahanlen rhwng y ddau. Yn Sir Feirionnydd fe geid hosan fawr y rhoddo'r ferch ei dwy goes ynddi yna rhoi gardas gref i gau'r hosan*

Beth sydd gen ti, glo mân yntau crymlo *clapiau glo canolig*

Wnest ti adael ŵy addo? *gadael un ŵy yn nyth yr iâr rhag iddi ddigio*

Chei di mo hwn, chwe cheiniog cam ydio *y chwe cheiniog hwnnw d'oedd wiw ei wario ond ei gadw'n addod*

Martha sydd yn ffrwcslyd *ffwdanus*

Does yma ddim glyfiniad o flawd *llong pig aderyn; llond ceg*

Styria yn lle sigl gnoi wrth y bwrdd *rhyw bigo bwyta*

Gymeri di wigsan? *'tea-cake'*

Beth mae'r creadur yna yn i fregliach *siarad yn aneglur*

Mi ddo'i draw Difia *dydd Iau*

Paid â phengrasu efo hi *dadlau di-fudd*

Hen benci o ddyn ydio *dyn pengaled ac anhwylus*

Hen benffast ydio, cofia *heb fod yn gyfeillgar*

Dos i ddical y fuwch *godro'r eildro a hwnnw llefrith da iawn*

Wyt ti wedi tynnu'r blaenion *godro mymryn ar y dechrau llefrith gwael iawn*

Paid â bystachu efo'r baich yna *ymlafio i gario baich rhy fawr neu fustach yn actio tarw!*

Beth wyt ti'n pidlian, dwad? *araf ac aflwyddiannus*

Rhoi'r aerwy am wddw'r fuwch *yr hen ddull o rwymo'r gwartheg*
a gwna'n siŵr ei bod hi'n sownd yn y gledran

Ydi'r llaesod yn lân? *lle y disgyn y tail ar biswel tu ôl i'r gwartheg yn y beudy*

Tydi'r ddafad yna yn sgryfinllan *anifail tenau*

Paid â phaldaruo *siarad gwag a di-saib*

Welis i'r fath geubal erioed wrth fwrdd *bwytawr mawr*

Hen slebog ydi wraig o *heb fod yn lân iawn*

Paid â hel dy facha hyd y dodrefn *plentyn yn bodiachu a hel ei ddwylo*

Mi wnaiff 'stogan y tro *drain neu eithin yn ysgubau mawr i gau adwy*

Hobad, Peciad, Ffiolad a thelad *mesurau ŷd yn yr oes o'r blaen*

Wel blant am y Cithwal! *am y gwely*
(neu yn Sir Fôn) *am y tail blantos!*

Gwna denyn pen bawd *rhaff fechan o wair gweirglodd neu lafrwyn i'w ddefnyddio fel cortyn neu wneud carchar (llyffethair) dafad*

Tyn y crysbas yna mae o'n wlyb *siaced*

Chwadal yr hen bobol *fel y dywaid yr hen bobol*

Tydi'r gweinidog newydd ddim yn ymlyfnu yma *dim yn setlo'i lawr mewn ardal newydd. Daw'r syniad o anifail mewn lle newydd ac o dipyn i beth fe'i gwelir yn llyfu anifail arall yn gyfeillgar*

Mae hwn a hwn yn jarffio cryn dipyn *meddwl i hun*

Rhyw gadiffan ydi'r gwas newydd *rhyw ferchetan*

Mi fedra Jane fyw ar ei chythlwng yn iawn am sbel *ar ei bloneg*

Gwerth ceiniog o Jou os gwelwch yn dda *neu fferins, pethau da, neu gydyn o faco i'w gnoi*

Mae'r gwartheg yma'n sbrianu'r gwair *gwastraffu*

Dos i dorri trenglan o wair *sypyn o wair wedi'i dorri'n sgwarog o'r das neu o'r gowlas yn y tŷ gwair. Daeth y byrnau bellach*

Mae Guto yn byw fel bonsiach *byw ar ei ben ei hun*

Cynta yn y byd yr aiff o dros Pengopa gorau oll *dymuniad ar i neb nad yw'n dderbynniol yn Llŷn i'w heglu hi oddi yno. Mae'r dywediad yma yn gwbwl nodweddiadol o Lŷn. Y mae Pengopa rhyw filltir a hanner o Sarn Mellteyrn ar y ffordd i Aberdaron ac allt weddol serth. O gyrraedd pen yr allt neu Bengopa cawn un o'r golygfeydd godidoca o bigyn eithaf Penllŷn. Ychydig lathenni ar y chwith mae pentre Bryncroes ac yn syth ymlaen y mae Rhydlios, Rhoshirwaen, Penycaeau, ychydig i'r chwith dacw Dredindywydd ar ochor ogleddol mynydd y Rhiw, yna ffurfio triongl – Anelog, Aberdaron a'r pwynt eithaf Uwchmynydd. Rwy'n enwi'r lleoedd hyn yn ofalus am y byddai nain yn dyfalu y byddai'r hen bobol yn dweud mai dyma Benllŷn go iawn. Tybed nad yw'r dywediad dros Bengopa yn rhoi peth sail i theori nain!*

Tydio'n edrych yn sbruddach *pen isel a phendrist*

Rhoi strempan cath ar dy wep *ymolchi'n sydyn a di-lol*

Mae'r lleuad yn cneitio'n braf heno *y lleuad yn glir ar noson oer o rew*

Dos â fo yn dy haffla *yn dy ddwylo*

Mae hwnna yn cabolganu wrth bawb *lledu'r stori i bawb*

Mae o fel dilido *troi efo pawb*

Paid â gwybeta bod munud *rhyw din droi yn chwilio am rywbeth na ŵyr beth*

Fydd o byth yn twllu'r capal *cyfeiriad at gynulleidfa yn codi'i ganu mewn capal, yn oes y lampau paraffin, ac wrth godi yn cysgodi'r golau gwan ac yn ei gwneud i'n dywyll*

Rwyf wedi dechrau pwyntio'r mochyn *dechrau pesgi'r mochyn. Ystyr pwyntio fyddo rhoi sment rhwng cerrig neu lechi, yn yr achos yma, rhoi cig rhwng esgyrn yw'r ystyr efo'r blawd newydd*

Sgrympia gŵyl grog *cenllysg ym mis Medi*

Tendia ddeifio dy grys *llosgi'r crys*

Wedi malu'n sitrws *yn ddarnau mân*

Beth am dipyn o fwtrin ffa? *stwnsh ffa*

Coelion y Tywydd

Bellach fe ddaeth 'Swyddfa'r Tywydd' yn rhan hanfodol o'n bywyd, rhaid cael sefyllfa'r tywydd wrth gwt pob newyddion beunydd beunos. Fe'n cyflwynir i fewn i gyfrinachau'r amgylchedd gan ddarllen arwyddion y tymheredd. Eir â ni i darddle'r gawod ac i lety'r eira. Gwelwn y dymestl ofnadwy ar ei thaith yn hyrddo popeth yn ei ffordd gan gyrraedd i'r ardal lle'r roeddwn yn byw. Ond mae'r broffwydes yn glyd a chynnes yn ei chithwal ac yn herio'r oerni a'r stormydd yn llewys ei chrys.

Ond nid fel hyn y bu hi yn yr oes o'r blaen, bu raid i ddyn ddysgu craffu a darllen arwyddion y tywydd o'i ben a'i bastwn. Yr oedd y tywydd yn chwarae rhan holl bwysig ym mywyd yr amaethwr a'r pysgotwr yn arbennig. Cadwai Ysgweier y Brynddu, Llanfechell gofnod manwl iawn o'r tywydd yn ddyddiol am ddegawdau yn y ddeunawfed ganrif. Yn wir cofnoda William Bwcle iddo ddeffro yn ystod y nos gan synhwyro fod y gwynt wedi newid ei gwrs a chododd i nodi'r newid! Tua'r un cyfnod cyhoeddai Robert Roberts, Caergybi ei almanacau poblogaidd gyda chyfeiriad cyson am y tywydd yn ystod y flwyddyn – 'Gwynt a glaw yma a thraw'; 'Eira gawn ar ôl y llawn'. Fu erioed sylwadau haws eu cofio beth bynnag oedd eu gwerth!

Ond fe geid ym mhob ardal o'r bron broffwyd neu broffwydes a honna'i ddeall yr arwyddion ac fe roddai llawer iawn eu cred a'u hymddiriedaeth yn eu rhagdybiaethau. Yr oedd proffwydi tywydd Uwchmynydd ac Aberdaron yn tra rhagori ar broffwydi eraill. Bu i Henry David, er yn blentyn wrando a thrysori eu geiriau. Mae ganddo fraslun o dywydd y flwyddyn i ddechrau:

'Mae adegau o'r flwyddyn yn nodedig am gyfeiriad y gwynt, fel cartref am gyfnod. Tua canol Mawrth daw'r gwynt fel rheol o'r Gogledd-Orllewin, gydag ambell gawod o law yma ac acw. Dyma'r adeg y daw'r "Sgoliau Cilciau".

Yn ystod misoedd yr haf, ceir gwynt o amrywiol begynnau a'r tywydd yn amrywio. Pan ddaw cynhaeaf ŷd a'r tatws, bydd y gwynt yn weddol sefydlog o gyfeiriad y dwyrain ac ambell i 'sgrwmp Gŵyl y Grog'. Dyma'r cawodydd oer o law neu genllysg yn cael eu gyrru gan wyntoedd cryf y Dwyrain.

Ar galangaeaf daw'r gwynt o begwn gwahanol eto o'r De-Orllewin a dwyn i'w ganlyn ambell ddiwrnod niwlog, ond fel yr ymestyn y dydd daw'r gwynt eilwaith o'r Dwyrain, gydag ambell noson rewllyd a barrug at y bora.

Ionawr

Cyfeirir at fis Ionawr gan rai hyd heddiw fel y 'Mis Marw' neu 'Mis Prinder'. Os y bydd y gwyliau yn Ionawr yn hafaidd, bydd yr hin yn aeafol hyd wyliau Mai. Y mae eira yn Ionawr yn arwydd o lawnder, ond pe caem wanwyn yn Ionawr fydd fawr o drefn ar dywydd ar hyd y flwyddyn. Os y cân yr adar y mis hwn byddant yn siŵr o grïo cyn mis Mai.

Chwefror

Pe ceir eira yn Chwefror ni saif ar y ddaear ond ychydig ddyddiau, weithiau diflana ym mhen oriau. Mae yna hen gwpled sy'n awgrymu'r un peth:

Saif eira ddim yn Chwefror
Mwy nag ŵy ar ben trosol.

Os y ceir taranau cyn diwedd y mis hwn, does fawr o obaith am dywydd teg gydol y flwyddyn. Er ei fod yn fis byr, mae ei dywydd yn hynod o anghysurus a bydd ei ddiwedd yn oeraidd bob amser.

Mawrth

Daw Mawrth i mewn fel oen ac allan fel blaidd, neu fe ddaw i fewn fel blaidd ac aiff allan fel oen. Bydd ei dywydd fel rheol yn eitha gwastad ei ansawdd gydol y mis ond cofier fod ei wynt yn llawn gwenwyn. Os digwydd i Fawrth fod yn wlyb, bydd Awst yn bruddaidd ond os y ceir gwynt ym Mawrth, ceir cawodydd yn Ebrill a haul ym Mai.

Ebrill

Os bydd Ebrill yn oer, fe geir ysgubor lawn. Mae'r gwynt ym mhythefnos gyntaf o'r mis yn galetach gwynt nag a geir gydol y flwyddyn.

Mai

Nid yw'n arwydd da os y gwelir llawer o flodau cyn mis Mai gan fod hynny yn amharu ar dyfiant ffrwythau o bob math.

Credir fod glaw mis Mai yn feddyginiaeth dda, mae cwpled i'r perwyl:

Glaw mis Mai
Yn lladd llau.

Pan elai'r gwartheg allan wedi bod yn y beudai drwy'r gaeaf byddant yn berwi o lau, nid rhyfedd i'r glaw cyntaf ar eu cefnau fod mor iachusol.

Yn ôl yr hen bobol, yr oedd glaw Dydd Iau Dyrchafael yn llesol i'r llygaid a gelwid y glaw hwnnw yn 'Diferion Mai'. Dilynir Mai oer gan Awst braf a heulog.

Ym mis Mai y cyfyd y neidr oddi ar ei nyth gan ddynodi fod ambell i ddiwrnod heulog i'w gael a'r ddaear yn dechrau cynhesu.

Mehefin

Fe rennir mis Mehefin yn ddwy ran, un yn wlyb a'r llall yn sych.

Gorffennaf

Yn ôl hen goel dibynna tywydd Gorffennaf ar yr ail ddyddiad ohono; sut bynnag dywydd a fyddo ar y dyddiad hwnnw, dyna batrwm y tywydd am y mis.

Ar Orffennaf y pymthegfed dethlir gŵyl un o'r hen seintiau pabyddol Seisnig, Sant Swithin. Os digwydd iddi fwrw glaw ar y dyddiad yma, yn ôl yr hen goel, bydd yn bwrw am chwech wythnos heb doriad!

Awst

Dyma fis di-dyfiant a hynny oherwydd os y bydd yn wlyb, mae glaw Awst yn oer iawn ac os y bydd yn sych, does fawr o nodd yn y ddaear.

Fel rheol fe geir tri lli yn Awst, ond fe all y trydydd fynd i ddyddiau cyntaf Medi. Os y bydd Awst yn oer, mae'n arwydd o lawnder.

Medi

Os na cheir glaw ar ddydd cyntaf Medi mi fydd yn sych drwy'r mis.

Os daw niwl ym Medi, mae'n was da i law a daw hwnnw yn weddol fuan, ond os y ceir niwl ben bore daw heulwen at y prynhawn.

Hydref

Ychydig o amrywiaeth a geir yn nhywydd Hydref ond os y bydd yn wyntog fe geir Tachwedd eithaf braf, ond os y bydd yn dywydd teg yna ceir llawer iawn o wynt trwy'r gaeaf.

Tachwedd

Mis 'Du' yr hen bobol. Mis y mae'r anifeiliaid yn llawn gwedd, wedi gorffen twchu a dyna esboniad yr oes o'r blaen ar y gair Tachwedd.

Mis i'r adar ddechrau galaru ar ôl yr haf, ac arwydd fod y gaeaf ar ei ffordd.

Rhagfyr

Os y ceir taranau ym mis Rhagfyr mae'n arwydd o dywydd teg. Dyma'r mis y bydd y rhew yn ddigon cryf i ddal dyn arno, ac os y ceir hyn ni cheir rhew weddill y gaeaf hwnnw, digon cryf i ddal llygoden.

Dyddiadur Enlli
Yr oedd proffwydo'r tywydd yn bwysicach i ynyswyr Enlli nag i neb yn unman. Fe wnaed y dyddiadur yma o'r deuddeg diwrnod wedi'r Nadolig, cedwir llygad barcud ar y tywydd bob dydd o'r deuddeg – o fore hyd yr hwyr. Dynoda hyn y tywydd am y deuddeg mis o'r flwyddyn. Bu'r dyddiadur hwn yn gaffaeliad mawr i bobol Enlli ar hyd y blynyddoedd.

Y Gwynt
Pan elo'r gwynt i'r de, bydd yn weddol ysgafn, ond fe gynydda yn ei nerth tra y bydd yno.

Pan fyddo'r gwynt o'r Gorllewin, bydd yno am amser maith, ond fe chwyth yr un faint gydol ei arhosiad yno. Pan aiff y gwynt i'r Gogledd mae'n chwythu yn ei fan gryfaf a gostegu tra y bydd yno.

Gwynt y dwyrain dyma wynt sy'n newid bob awr a dyma paham ei fod yn wynt mor beryglus i'r rhai sydd mewn cychod o amgylch y glannau.

Arwyddion tywydd teg: O ddydd i ddydd
Yr haul yn glir a'r awyr yn ddi-gwmwl.
Yr haul yn gyrru'r cymylau o'i flaen tua'r gorllewin.
Cylch o gwmpas yr haul yn y bore ac yn diflannu'n raddol.
Yr haul yn machlud yn goch, a dim cymylau duon yn y gorllewin.

Lleuad yn weledig tridiau cyn y llawn neu cyn y newid.
Ymyl felyn i'r cymylau.
Yr awyr yn dywyll yn y bore ond yn clirio yn erbyn y gwynt.
Yr enfys yn gochach nag arfer wedi cawod o law.
Niwl yn disgyn i'r môr o'r mynyddoedd.
Niwl tenau yn y prynhawn.
Niwl gwyn yn codi o'r môr yn y prynhawn.
Yr ystlum yn codi'n foreuach nag arfer.
Chwilod duon yn hedfan yn y prynhawn.
Gwybed bychain yn chwareu yn yr haul.
Gwartheg yn mynd i dir uchel i bori.
Môr a mynydd yn eithriadol o glir.
Sglein arbennig ar y tar ar y ffordd.
Rhannau o ddŵr y môr fel gwydr.
Y llambedyddiol (morfil bychan) yn gwneud ei ffordd tua'r gogledd.
Teidiau'r môr yn sefydlog, dim llawer o gynnwrf yn y teidiau.
Rhewi am dair noson yn olynol, neu farug am dair noson.
Y lleuad yn weledig yn y gorllewin ben bore.
Glesni annarferol ar ddŵr y môr.
Sŵn y môr yn y gorllewin yn crafu'r cerrig ar draeth.
Os ymddengys y lleuad newydd fel cwch, deil y dŵr rhag disgyn (yn law).

Arwyddion glaw

Yr haul yn goch yn y dwyrain.
Yr haul yn edrych yn glaf wrth godi.
Cymylau duon a choelion ac yn cuddio'r haul pan mae'n codi.
Llewyrch yr haul yn las tywyll neu ddu.
Cwmwl yn casglu lle mae'r tarth yn codi.
Os bydd y lleuad yn newid ar y 15fed o Fedi, glaw am fis.
Cylch pell o amgylch y lleuad.
Yr haul yn ymddangos yn fwy nag arfer yn y dwyrain.
Sen wen yn y dwyrain ar dywyllu.
Cymylau duon yn y gorllewin ar fachludiad haul.
Yr haul neu'r lleuad yn edrych yn dywyllach nag arfer.
Sêr mawrion yn amlwg.
Yr enfys â gwawr wyrdd arni.
Adar yn trydar.
Y bioden yn sgrechian.
Hwyaid yn cadw stwr parhaus.
Y dylluan yn crïo.
Pryf copyn yn brysur yn gweithio ar ei wê.
Barug cyn y nos, ceir glaw cyn y bore.
Enfys yn y bore, daw amal i gawod yn ystod y dydd.
Os ceir enfys ddechrau'r lleuad, glaw hyd ei ddiwedd.
Mellt heb daranau o'r Gogledd-orllewin.
Y parwydydd, dodrefn a'r llawr cerrig yn llaith.
Y gwynt yn y de am amser maith.
Huddugl yn disgyn mwy nag arfer.

Sŵn yn cario'n bellach nag arfer.
Drysau'n anodd i'w hagor ac yn gwichian.
Pryfaid yn pigo.
Adar y môr yn dod i'r tir.
Aelodau hen bobol yn fwy poenus nag arfer.
Os collir y glaw o'r dwyrain y daw, os cyll yr hindda o'r dwyrain daw yntau.
Dagrau ar ddail y coed yn y tŷ.
Llwch yn troelli mewn conglau arbennig.
Dail y coed yn troi tu chwith allan.
Sisial dail y coed neu laswellt.
Adar y tir yn ehedeg i'r môr neu'r llynnoedd gan gyffwrdd y dŵr â blaen eu haden.
Ymlusgiaid yn ymddangos ar wyneb y tir.
Y pryf genwair yn y baw.
Cŵn yn udo.
Anifeiliaid yn pori'n frysiog.
Yr anifeiliaid yn llyfnu eu carnau fwy nag arfer.
Gwybed yn flinedig.
Cyrn ar fysedd traed yn pigo.
Dim gwlith y bore na'r prynhawn.
Os bydd y lleuad â'i phen i lawr heb ddigon o fach arni i hongian côt, rhaid gwisgo'r gôt.
Glaw dydd Iau a bery dridiau.
Mae'r haul yn siŵr o ddangos ei wyneb rhyw ben bob dydd Gwener.
Glaw Sadwrn trwy'r dydd.

Os daw'r glaw yn gynnar yn y bore, daw heulwen yn y prynhawn.
Os daw glaw tua tri i bedwar y prynhawn, fe bery wedi twllwch.

Niwl

Ymyl yr ewyn yn ddu dridiau cyn i niwl ddyfod.
Diwrnod poeth ynghanol tywydd gwlyb a'r gwynt o'r de, trannoeth niwl.
Swel ar y creigiau a'r traethau heb awel.

Gwynt

Y cymylau yn goch yn y bore.
Y sêr fel pe baent yn saethu y naill i'r llall.
Ymyl goch ar yr enfys, ond nid fel y mae pan mae'r heulwen yn dod.
Cylchoedd tywyll neu ddu o amgylch yr haul a'r lleuad.
Y sêr yn weiniaid ac aneglur.
Yr Hydref yn dywydd teg.
Y cymylau yn cerdded yn gyflym.
Tân glo yn llosgi'n dywyll ac yn hisian.
Cigfrain yn ehedeg yn uchel, neu yn curo eu hadenydd.
Niwl y gwanwyn yn arwydd o wynt.
Niwl ar waelod y mynydd, ond ei gopa yn glir.
Y defaid yn tyrru i fan arbennig yn y cae.
Os ceir dau leuad newydd yn yr un mis, ceir llawer o wynt a hefyd wlybaniaeth gydol y mis.

Ceir felly hefyd os digwydd i'r lleuad newid ar ddydd Sadwrn.
Cymylau gwynion ar ffurf traeth tywod.
Cymylau fel ar ffurf cynffon ceffyl.
Mae gwynt y dwyrain yn sychu mwy mewn awr na gwynt y gorllewin mewn pedair awr.

Rhew

Pan fo'r lleuad yn gwanhau.
Rhaid i'r pyllau fod yn llawn dŵr.
Noson glir a'r sêr yn ddisglair iawn heb fawr awel.
Iddi ddal ati i rewi rhaid iddi rewi am dair noson.

Eira

Sglein anghyffredin ar yr haul.
Tywydd distaw a'r gwynt o'r de.
Sŵn y môr yn crafu yn y gogledd.
Niwl tenau am ddyddiau a'r gwynt yn troi i'r de-ddwyrain.
Eira cyn lleuad llawn bob amser ym Mhen Llŷn.
Wedi oerni, yr awyr yn tywyllu'n gyflym a'r hin yn cynhesu.

2. Hwyl Llwyfan

Ar ymddeoliad Sam Jones – Pennaeth BBC ym Mangor, fe ddywedodd Alun Oldfield Davies – Rheolwr BBC Cymru: 'Ymhlith llyweroedd o bethau da gyflawnodd Sam Jones yn ystod deng mlynedd ar hugain does dim byd yn fwy arwyddocaol nag yn fwy o werth i'r dyfodol nag "Ymryson Areithio i Golegau Cymru". Fe gredai Sam Jones nad oedd dim yn apelio mwy at y Cymry na chystadleuaeth – cystadleuaeth o bob math. Doedd dim ffordd well i godi safon siarad yr iaith Gymraeg nag ymryson a chystadleuaeth.

Mae'r gair ymryson yn gyforiog o ystyron a phob un yn awgrymu cystadleuaeth o fath – ymrafael, dadlau, ymgiprys a datgan barn. Gwyddai'r dewin o Fangor nad oedd genedl dan y nef a ddisgleiriau'n debyg i'r Cymry mewn siarad, areithio, adrodd a chanu. Doedd dim yn well na chystadleuaeth ac ymryson i dynnu'r gorau allan o'r siaradwr, yr areithiwr na'r canwr. Onid yw'r eisteddfod yn rhan o'n hanes fel cenedl. Sonir am gynnal eisteddfod mor bell yn ôl â 1176 yng nghastell Aberteifi. Bu cynulliad o feirdd a cherddorion yng Nghaerfyrddin tua 1450 a dau arall eto yng Nghaerwys yn 1523 a 1567. Digon dweud y cafwyd llwyfannau fyrdd i roi cyfle i gystadlaethau o bob math, fe ymwthiodd y llwyfan i bob twll a chornel gan wneud defnydd o bob techneg boed radio neu deledu. Onid yw Talwrn y Beirdd yn un os nad y rhaglen mwyaf poblogaidd ar Radio Cymru.

Mi fyddai nain yn arfer dweud fod cystadlu yn nhoriad bogail pob creadur boed ddyn neu anifail. Mi fydde nain yn arfer cadw dau fochyn yn help i dalu rhent y bwthyn. Doedd ganddi ddim modd na lle digon mawr i gadw dau, mi fyddai un yn ffyl* digon. (* 'eithaf' – gair llafar dieithr i eiriadur.) Yn ôl theori nain mi fyddai'n haws pesgi dau fochyn ac y byddai'r porthiant yn brin byddai raid i'r ddau gystadlu am eu tamaid a'r ymarfer hwnnw'n troi'n llesol iawn iddynt. Mi stwffiodd Adam Smith rhyw theori digon tebyg i ben Margaret Thatcher a fu'n dipyn o fethiant. Fethodd nain erioed â phesgi dau fochyn ar borthiant prin.

Mae'n wir y bu i'r ysbryd cystadleuol dresmasu i ambell gylch a maes dieithr. Rywfodd d'yw cystadleuaeth ddim yn gweddu i fyd crefydd. Ond fu erioed fwy o gystadlu ag a fu rhwng enwadau crefyddol â'u gilydd a gwaetha yn ei ddannedd y bu farw. Mae cof da gen i am Gymanfa gyd-enwadol enwog Rhoshirwaun gyda phum pregethwr wrthi am ddeuddydd. Pesychodd pregethwr y Bedyddwyr a chafwyd côr o gymeradwyaeth. Bu'n gryn gystadleuaeth rhwng y pregethwr a'i gefnogwyr Bedyddiedig. Cafwyd pregeth sylweddol amserol gan y pregethwr a'i dilynodd o gorlan yr Eglwys yng Nghymru, ond dim ebwch o big neb. Ac felly y bydda hi gydol y Gymanfa – pawb yn cefnogi ei enwad ei hun yn arwydd clir fod y 'cystadlu yma' chwedl nain, 'yn nhoriad bogail pawb'.

Y mae plant pob oes yn llawn ysbryd cystadleuol, mae'r peth yn reddfol ynddynt ac yn rhoi cyfla gwych i hwyl frolgar a digon celwyddog, yn amal. Mae'n debyg mai ar iard ysgol yn Sir Fôn y bu'r ymryson hwnnw ymhlith criw o fechgyn. 'Gin y 'nhad i mae'r fuches fwyaf' meddai un ohonynt, 'mae acw dri chant o fuchod.' 'Pe gwelet ti'r tarw du Cymreig sydd gyno ni,' meddai un arall cegog. 'Defaid pennau duon mawr' oedd ymffrost un arall. 'Mi gostiodd tractor newydd dad bedwar deg o filoedd' meddai un arall. Fel hyn yr aeth yr ymffrost ymlaen o anifail i anifail ac o beiriant i beiriant. Methodd un llefnyn yn lân ulw gael ei big i fewn i'r gystadleuaeth o gwbwl. Ond o dipyn i beth aeth y cystadleuwyr allan o eitemau i'w canmol a manteisiodd y bychan ar ei gyfle – 'gin y 'nhad i mae'r forgais fwyaf', meddai'n dalog.

Ond, am gystadlu mewn llên a chân ac yn arbennig mewn doniau ar lwyfan y carwn i sôn. Y mae hwyl llwyfan a chystadlu yn rhan holl bwysig o'n hanes fel cenedl a'r hwyl yma a'n gwna ni mor gwbwl wahanol i bob cenedl arall. Bu'r llwyfan arbennig yma fel Arch y Cyfamod i hen genedl Iddewig yn cael ei helgud o lety i lety a chafwyd ambell lety reit anghyffredin. Mewn sgubor y cychwynodd 'steddfod Rhoshirwaun a rhai mewn tafarndai. Chafodd y Cymro erioed drafferth i godi llwyfan mewn lleoedd anhebyg gan gymaint ei awydd i gystadleuaeth. Mi fyddai'r Parch. Hugh Pierce Jones yn arfer dweud y cafodd Cymru yr adeiladau mwyaf moethus yn ysgoldai y capeli ymneilltuol ac yn y llofft capal yn Sir Fôn yn y bedwaredd ganrif ar bymtheg i gynnal eu hamrywiol gystadlaethau. Tua diwedd y ganrif honno cododd y festrioedd hyn fel madeirch hyd gefn gwlad gyda'r galw am gymdeithasu ac ymarfer doniau gan yr ardalwyr. Gan fod festri capal ym mhob ardal o'r bron, yr oedd hefyd gyfarfod ym mhob un ohonynt. Mae'n ddiddorol sylwi fel yr amrywiai enwau'r cyfarfodydd hyn o ardal i ardal, ond er i'r enwau amrywio, yr oedd y cyfarfodydd yn ddigon tebyg i'w gilydd. Cyfarfod Llenyddol, fyddai'r enw mwyaf cyffredin arnynt, math o eisteddfod ar raddfa fechan. Tueddai pobol Penllŷn i'w galw'n Gwarfod Bach – dyma un o gyfarfodydd pwysicaf pob ardal yn ystod y gaeaf yn Llŷn. Diolch i ohebwyr y papurau

Cymraeg am gofnodi eu hanes a'u cyfraniad. Byddai gohebwr neu ddau ym mhob un o'r cyfarfodydd hyn gan y byddai adroddiadau ohonynt o ddiddordeb arbennig i bobol. Mi roedd yn ddigwyddiad holl bwysig cael enw mewn papur newydd am ennill ar y Prif Adroddiad neu dod yn gydradd gyntaf ar yr Her Unawd. Mewn ambell ardal Cyfarfodydd Cystadleuol fyddai'r enw ond yr un fydda natur y cyfarfod hwn hefyd. Fe geid peth gwahaniaeth yn y Cyfarfod Amrywiaethol, mi fyddai testunau'r cyfarfod yma yn wahanol i'r lleill gyda mwy o bwyslais ar gelf nag ar lên a cherddoriaeth.

Ond o ble tybed y tarddodd y cyfarfodydd arbennig hyn a fu mor ddylanwadol ar fywyd diwylliannol cefn gwlad Cymru, a hynny am well na chanrif. Ar wahân i ychydig o liw lleol yr oedd y cyfarfodydd hyn yn debyg iawn i'w gilydd yn eu hanfod. Mae'n amlwg nad oedd cysylltiad cydrhwng y cyfarfodydd hyn ag unrhyw draddodiad llenyddol fel yr Eisteddfod Genedlaethol. Bu i honno dyfu o gam i gam ac ymchwyddo gyda seremonïau, pump (rhodres) a gorymdeithio gyda band swnllyd ar y blaen yn creu awyrgylch carnifal. Ond nodwedd amlyca'r Cyfarfodydd Llenyddol fu aros yn fach nid damwain fu'r enw Cwarfod Bach, yr oedd ansawdd yn bwysicach o lawer na maint. Yr oedd gan y Cyfarfod Bach ei gylch a'i gynulleidfa sefydlog a'u ffyddlondeb a'u cefnogaeth yn sicrhau cynulleidfa boed hi dywydd y bô. Fu erioed cymdeithas mor frwd dros hyrwyddo llên a chân.

Y mae sail dros gredu mai yng Nghlynnog Fawr yn Arfon y blagurodd y Cyfarfod Llenyddol cyntaf. Naturiol fyddo credu mai Eben Fardd fu'r symbyliad i gychwyn unrhyw beth o natur lenyddol yng Nghlynog yn hanner olaf y bedwaredd ganrif ar bymtheg. Yr oedd Eben yn feirniad llên yr Eisteddfod Genedlaethol er anghydweld yn ffyrnig â'i gyd feirniaid yn 'Steddfod Aberffraw 1849. Fe wyddai Eben Fardd yn well na neb am syched gweision ffermydd Llŷn ac Eifionydd am wybodaeth, daeth sawl un i'w Athrofa yng Nghlynog i'w cymhwyso ar gyfer y weinidogaeth a meysydd eraill. Er hyn nid Eben Fardd bia'r clod am gychwyn y Cyfarfod Llenyddol er ei fod ymhlith y sefydlwyr cyntaf. Dyma a ddywedodd amdanynt: 'Y nesaf at yr Ysgol Sul, mae Cymru yn ddyledus i'w Chyfarfodydd Llenyddol am ddatblygu talentau mwyafrif ein gwerin'. Credai Eben nad oedd Cymru wedi dychmygu maint y lles a'r daioni a wnaed gan y cyfarfodydd hyn a'r symbyliad a roesant i bobol ifanc a'r talentau disglair a ddarganfuwyd trwyddynt. Anghytunai Eben Fardd â'r Eisteddfodwyr gorselog hynny a briodolai adenedigaeth Cymru i'r Eisteddfod Genedlaethol. Credai fod dylanwad yr Eisteddfod ond yn gymharol ddiweddar ac yr apeliai at y dosbarth mwyaf dysgedig yn ein mysg. Cyn belled ag yr oedd ei chystadleuaeth yn mynd, y goreuon o'n llenorion oedd ddigon gwrol i gystadlu ynddi a bod ei phoblogrwydd yn ddiweddar wedi codi yn ôl y graddau yr oedd y Cyfarfodydd Llenyddol wedi magu cystadleuwyr iddi.

Ond er mor eiddgar a chefnogol fu Eben Fardd dros y Cyfarfod Llenyddol, tad a sefydlydd y Gymdeithas oedd Evan Griffith y Druid – ef bia'r anrhydedd o gychwyn a gweithio allan y syniad. Yr oedd Eben Fardd ac amryw o lenorion yr ardal yn cynorthwyo gydag Evan Griffith yn arwain. Yr oedd yn ardal Clynog y pryd hwnnw nifer dda o ddynion galluog a byddai rhyw ddwsin a rhagor o weision ffermydd y cylch yn ymgynnull yn y Druid, cartref Evan Griffith. Yr oedd y Druid yn glamp o dŷ mawr helaeth, hen dŷ tafarn wedi ei droi yn dŷ-annedd. Yn eu tro byddai'r hen Ddoctor Pugh Goch y Big a'i feibion yno ynghyd ag Eben Fardd, Hugh Gadarn, Ellis Wyn o Wyrfai, Robert Griffith Brynaerau, Robert Jones unfraich a llawer eraill. Yno y byddent ar aelwyd groesawus Evan Griffith yn trafod a dadlau ar bynciau diwinyddol, gwleidyddol ac yn arbennig llenyddol. Ond heb os trefnu'r Cyfarfod Llenyddol a gai'r sylw pennaf.

Yn ddiddorol a gwerthfawr iawn y mae gennym atgofion plentyn a oedd yn bresennol yn y Cyfarfod Llenyddol cyntaf yng Nghlynog – William Roberts o Lundain. Byddai'r cystadleuwyr mewn darllen, adrodd a chanu yn troi eu cefnau at y beirniad wrth berfformio, beth am weld wyneb yr adroddwr neu'r canwr? Dyma'r tri beirniad yn y Cyfarfod cyntaf Eben Fardd, Evan Griffith a Robert Jones, Bachwen, gwyddom fod un ohonynt yn feirniad y Genedlaethol! Mae'n amlwg y byddai'r tri beirniad yn mynd allan i'r cwrt i benderfynu ar eu beirniadaeth ac mae'n amlwg y cymerant gryn amser wrth y gwaith gan y byddai trefniant i ddifyrru'r gynulleidfa. Rhai o drigolion hynaf y pentref fyddai'r difyrrwyr hyn, mewn dull sgwrsio hamddenol – rhoent ddisgrifiad o fywyd yng Nghlynog pan oeddynt hwy yn ifanc gan gyfeirio mor brin a fyddai'r cyfleusterau iddynt hwy bryd hynny o gymharu â manteision y dydd. Yn ôl tystiolaeth un a oedd yn bresennol byddai'r storiau hyn yn llawn difyrrach na'r cystadlu! Byddai eraill o'r hynafgwyr hyn yn adrodd storiau byr a doniol – rhai yn wir a'r rhelyw ohonynt ar gôf yr ardalwyr. Yna fe ddeuai'r tri beirniad yn ôl yn bwyllog a phwysig gydag un ohonynt yn traethu'r feirniadaeth i gynulleidfa eiddgar a chystadleuwyr pryderus. Buan iawn yr aeth y sôn a'r siarad am y Cyfarfod yn Clynog ar hyd a lled y wlad ac yn arbennig i ardaloedd cylchynnol. Mi gydiodd y fflam lenyddol yma yn nhrigolion ymneilltuol tref Caernarfon a buan iawn y sefydlwyd Cyfarfod Llenyddol yn y dref honno. Cydiodd y tân llenyddol yn ardaloedd y chwareli a daethant yn hynod o boblogaidd yno.

Bu'r Cyfarfodydd hyn yn fagwrfa dda ryfeddol yn eu dydd, yn arbennig i'r rhai hynny na chawsant ryw lawer o gyfleusterau addysg. Mi wn, yn fy mhrofiad fy hun, mor fuddiol y bu eu llwyfan i mi fel un a llawer yn Llŷn a ddaeth o'r ysgol yn bedair ar ddeg oed ac wedi troi allan i weini. Mi roeddwn yn ffodus iawn yn perthyn i ddwy Gymdeithas, un yng Nghapel Rhydbach ym Motwnnog a'r llall yng Nghapel Tyddyn ar ochr Mynydd y Rhiw. Capel Wesla oedd Tyddyn ac mi roedd yno gymdeithas wych. Doedd dim festri yn y Tyddyn dim ond capel yr un seis â festri'r Methodistiaid. Mi welai 'raglen' y tymor y funud yma: Tocyn y Gymdeithas – Capel Tyddyn W. Mi gofiaf un neu ddau o amodau'r aelodaeth, ni cheir cinio Gŵyl Ddewi ond gyda thocyn y Gymdeithas. Bydd cystadlaethau Cyfarfod Cystadleuol yn agored i'r byd. Mi roedd hi'n llawn dop yno efo pobol leol, plant yn clwydo fel ieir ar astell y ffenestri bychan.

Mi gofiaf un o'r Cyfarfodydd hyn yn dda, mi ges y drydedd wobr am adrodd a'r ddau a gafodd y cyntaf a'r ail yn salach adroddwyr, yn ôl siarad pobol. Doeddwn i ddim yn hapus, a mi gafodd Harri 'mrawd y cyntaf am Gân Werin gyda chanmoliaeth wirion bost. Y beirniad canu y noson honno oedd Richard John Griffith, Ysgweier Bodgaeaf, Dic Bodgaeaf fyddai ei enw pob diwrnod arall; ond fel beirniad canu yng Nghyfarfod Llenyddol Tyddyn, fe'i dyrchafwyd yn sgweiar yn y fan, nid pawb fedar feirniadu canu mewn Cwarfod Bach.

Glyn Owen, titsiar o Ysgol Fawr Botwnnog oedd y beirniad adrodd a darllen, fel y cyfeiriais eisoes doedd ganddo fawr o glem ar adrodd. Doedd o ddim yn sgweier chwaith yr un fath â'r beirniad canu, dim ond dwy lythyran yr un fath a nymbr car. Ond dyna fo, yr oedd adrodd yn bwysicach o lawer na chanu erstalwm.

Gwas Tyengan a Bronllwyd oedd wrth y drysau yn derbyn ein harian efo dwy fowlen fawr wen. Mi roedd hi'n costio'n ddrud iawn i fynd i mewn, mi roedd mynediad i bobol yn naw ceiniog a grôt i blant a phlant bach yn 'i clytiau a heb fedru cerdded yn cael mynd i fewn am ddim. Mae'n debyg mai naw ceiniog a grôt fu mynediad i'r Cwarfod Bach. Bellach does neb wrth y drws efo powlen wen, na helth a seffti i hel plant bach o silff y ffenast. Aeth Capel Tyddyn yn dŷ annedd del a does ar bobl Llŷn ddim isio Cwarfod Bach, dim ond homar o 'Steddfod fawr yn para am wsnos gron ac fe gododd y pris i bobol a phlant, ac mi aeth pawb yn sgweiar o ryw fath!

3. Perl ym Mhen Llyffant

Plant ardaloedd cefn gwlad ydi'r hen ddywediadau byr bachog a gwreiddiol yma, gwirebau hengall sy'n gymaint o ddiarhebion ag ydynt o ddoethinebau. Fu mo'i tebyg am harddu a lliwio iaith lafar – sgwrs ac ynganu. Rhydd y rhain wreiddioldeb a ffraethineb i'n hiaith a'i gwna hi'n hyfrydwch i'r glust. Ond ysywaeth mae'r gemau hyn mewn perygl; cododd cenhedlaeth arall a fagwyd ar jargon diwylliant y teledu heb sŵyn na sŵn dim ond twrw – efydd swnllyd neu symbol yn tincian. Daw hiraeth arnaf am gael rhain yn ôl bob un. Mi fydd y naturiaethwyr yn gofidio a phryderu fod rhywogaeth brin mewn anifeiliaid a phlanhigion yn darfod o'r tir am eu bod yn colli eu cynefin; adar ac anifeiliaid yn colli'r coed a phlanhigion a blodau gwyllt prin yn colli'r gors ac eraill yn colli'r rhostir. Mae gan bopeth eu cynefin i ffynnu ac i fyw.

Mi fydda i'n meddwl fod gan yr hen eiriau a'r

idiomau yma eu cynefin a phan gollir y cynefinoedd hynny mi gollwn y perlau yma. Mae gan William Bwcle y Brynddu gofnod fel hyn yn ei ddyddiadur enwog am Fehefin 13, 1734, fe sonia am gongl siarad yn Eglwys Mechell Sant. Mae'n debyg mai cornel oedd honno nas cyfrifid mor gysegredig â'r rhannau eraill ac y caent ymgomio â'i gilydd am bethau cyffredin bob dydd bywyd. Fe symudodd y gongl siarad i'r Ymneilltuwyr y tu allan i'r capel yng nghysgod clawdd go uchel draws y ffordd o ddrws y capal. Yno y byddai'r gweision ffermydd yn cynnull a phawb a'i dun baco gloyw ar agor, a phawb yn cordio'r sgwrs gan gychwyn efo dedfryd ar y sgethwr – 'Mi roedd hwnna'n ddigon sâl iti fod ar dy draed y nos efo fo' neu 'Mi roedd y gwair rhaffau wedi gorffen ers meitin'; dro arall – 'I beth oedd isio mynd cyn belled i chwilio am beth cyn salad?' yna newid cywair – 'Dyna iti chwip o bregethwr' – 'mi roedd y boi yna wedi 'i dallt hi!' Mor broffwydol y gall rhai o'r dywediadau bachog hyn wrth y drws fod. Y mae Dic Goodman wedi canu'n wych i achlysur seremoni agor neuadd newydd Mynytho yn 1935.

'Roedd enwogion y genedl yno,
Darlithwyr a beirdd o fri.

Robert Williams Parry oedd yr olaf i ddweud ei bwt mewn pedair llinell, meddai'r hen saer wrth fyned allan wrth ei gyfaill –

'Mi ddeudodd hwnna y cwbwl
mewn pedair lein, yn do was!'

Dyna ichi gynefin siarad dda ers talwm fyddai syrjeri'r doctor cyn bod sôn am wneud rhyw apwyntiad. A sôn am apwyntment – y wraig fach honno isio gweld y doctor ac yn ffonio'r syrjari yn fuan wedi'r drefn newid, a rhyw ferch fach yn ateb yn reit awdurdodol – 'Rhaid ichi wneud apwyntment,' meddai. 'Pa bryd y bydd y doctor ar gael,' meddai'r wraig fach? – 'Pnawn dydd Iau,' meddai'r ferch 'Nefoedd wen, beth pe bawn i wedi marw erbyn hynny,' meddai'r claf; 'Cofiwch ganslo'r apwyntment' oedd yr ateb. Ond lle da am sgwrs fyddai'r syrjyri. Mi fyddai pedwar cymér yn arfer cyfarfod yn gyson bob bora Mercher yn ddi-feth. Ond roedd un yn absennol un bora, ac fe holwyd yn ei gylch lle'r oedd, a dyma'i bartner yn ateb: 'Tydio ddim hanner da heddiw!' Ond heb os un o sefydliadau a'r cynefin orau am sgwrs a smoc fyddai'r dafarn leol. Yno byddai pawb yn nabod ei gilydd. Fydde dim atalfa i'r sgwrs, llymaid i ireiddio corn gwddw a digon o fŵg i glirio'r ffliwia. Ond fe ddaeth diwedd i'r nefoedd honno. I ddechrau dechreuodd y gwragedd ymuno efo'r gwŷr, wel dyna ichi flyndar o'r radd flaenaf. Beth pe bae'r gŵr druan yn dweud nos Lun nesaf, mi rydwi am ddod efo ti heno i Ferched y Wawr neu'r W.I., ew mi fasa yn le yn siŵr. Gyda chwmni'r wraig mi gollodd y gongl siarad hon lawer iawn o'r gogoniant a fu iddi. Fel pe bae hynny ddim digon dyna ergyd arall yn ddiweddar – chaiff neb fygyn yn y dafarn ddim mwy! Mi fydd gen i resyn gweld tyrfa y tu allan i dafarn o'r ddeuryw yn cwmanu yn y gwynt a'r glaw fel dynewaid continental ar Ebrill oer. Dyna chi lwyfan dda am sgwrs eto fyddai criw o dyddynwyr yn cyfarfod wrth y 'stage' laeth yn disgwyl y lorri laeth. Dyna ichi le iawn a'r naill yn fusnas i gyd faint o lefrith a fyddai gan bawb.

Gresyn i bwyllgorau droi'n fangre i bobol arddangos eu pwysigrwydd a'i hunan-dyb. Mi fyddai pwyllgorau yn feithrinfa wych i siarad cyhoeddus gwerinol gydag iaith lafar ar ei gorau a'i phurdeb. Ar nos Sadwrn y byddai pwyllgor Neuadd Rhoshirwaun yn cyfarfod, cyn bod sôn am gyrchu'r dref. Byddai'r rhain yn bwyllgorau maith rhyfeddol. Mae sôn o hyd am un pwyllgor a fu'n afresymol o faith. Dadlau yr oeddynt ar enwau beirdd ymadawedig yr oedd hi'n arferiad i roi eu henwau'n brintiedig ar furiau'r Neuadd. Yr oedd lle i ddau enw a phob aelod o'r pwyllgor efo enw gwahanol. Roedd hi'n noson oer ryfeddol. 'Ylwch,' meddai un pwyllgorddyn traed oer, os na frysiwn ni mi fydd ein henwau ni i gyd ar y pared yma!

Ond dyma fi'n crwydro, fel buwch mewn adlodd, yn lle cadw at y testun, testun a osodwyd gan Twm Elias mewn cwrs Llên Gwerin ym Mhlas Tan y Bwlch yn 2007 – 'Perl ym mhen llyffant.' O ble y daeth y fath wireb ac iddi sŵn dihareb. Aethym ati'n ddiymdroi gan gredu'n siŵr na fyddai raid crwydro o ffiniau gwlad Llŷn ac Ynys Môn. Ond buan y synhwyrais fod y llyffant hwn yn adnabyddus tu hwnt a thu draw i Lŷn a Môn.

Y cyfeiriad cynharaf y deuthum o hyd iddo oedd y cyfeiriad a geir yn llyfr Alexander Neckam (1157-1217) o'r 12fed ganrif, ysgolhaig ac abad Cirencester. Cyfeiria yn ei lyfr – De Naturis Revum, at y perl ym mhen llyffant a'i gwerth neilltuol fel gwrthwenwyn. Pwysleisia Neckam ryfeddod fod creadur bach sy'n llawn gwenwyn eto trwy gyfrwng y garreg neu'r berl sydd yn ei ben yn llesol er iachâd. Byddai pobl yn crogi'r garreg hon am eu gyddfau er mwyn sicrhau na chaent eu gwenwyno na dioddef unrhyw salwch arall. Mae hyn yn rhagdybio beth tybed a fyddai pobl yn ei gario arnynt fel math o ryw ofergoel i'w gwarchod.

Ond ar y cyfan agwedd digon dirmygus sydd gan Neckam at y llyffant. Dyma fel y mae yn agor un o'i benodau – 'Mae'r llyffant yn anifail arswydus . . . ond diolch byth os yw'n llawn gwenwyn mae rhinwedd neilltuol i iachau yn y garreg neu'r perl sydd yn ei ben.

Yn ei lyfr – One Thousand Notible Things (1579) cyfeiria Thomas Lupton rinweddau'r llyffantfaen (toadstone) sydd ym mhen y llyffant, os y cyffwrdd hon ag unrhyw ran a wenwynwyd, a anafwyd neu a frathwyd gan lygoden fawr neu bryfcopyn elai'n iach.

Yn ôl Lupton fe ddefnyddid y garreg (neu'r perl) hwn a oedd yr un ffurf â llyffant ac o'r un lliw, fel tlysau ac fe'i gosodid yn addurn mewn modrwy.

Fe gyfeiria Thomas Nashe yntau yn ei lyfr *Anatomie of Absurditie* (1589) at y gwrthgyferbyniad yn y llyffant – *'It fareth with finer wits as it doth sith the pearl, which is affirmed to be in the head of the toad.'*

Ond heb os William Shakespeare a roes fwyaf o arbenigrwydd i'r wireb hengall hon ac fel bardd a dramodydd fe'i defnyddia mewn ystyr athronyddol fod yna rhyw ddaioni ym mhopeth:

Sweet are the uses of adversity
Which like the toad, ugly and venomous,
Wears yet a precious jewel in his head;

– *As you like it*

Yr un athrawiaeth sydd gan Pantycelyn a Moelwyn yn eu hemynau. Meddai'r Pencerdd:

Pob gras, pob gwae, pob awel gref
Sydd yn aeddfedu'r saint i'r nef.

Dyma Moelwyn eto:

Fe all mai'r storom fawr ei grym
A ddaw a'r pethau gorau im,
Fe all mai drygau'r byd a wna
I'm henaid geisio'r doniau da.

Mi ysgrifennodd Mathew Meade lyfr diddorol iawn yn 1661 ar y teitl – *The Almost Christian.* Yn ôl yr Oxford Dictionary of National Biography, fe ddisgrifir Meade fel, *'a clergyman and ejected minister.'* Gwyddom y bu i lawer o offeiriaid gael eu diarddel a'u troi o'u plwyfi yn ail hanner yr 17 ganrif. Yn 1723 fe gyfieithwyd llyfr Meade i'r Gymraeg gan Jenkin Jones o Lwynrhydowen dan y teitl *Llun Agrippa.*

Dyma gyfieithiad Jenkin Jones o werseb y perl ym mhen llyffant o eiddo Mathew Meade:

'Perlyn ym mhen llyffant, gawn yn tyfu ar ddrain, yw gwybodaeth gyffredin o Grist, gellir ei chael mewn dynion heb eu sancteiddio.'

Y mae Mathew Meade yn priodoli'r werseb hon i'n naturiaethwyr neu chwiliedyddion natur. 'Mae'r Anianyddion Natur yn dywedyd fod perlyn yn Siol y llyffant, ac er hynny bod ei fol yn llawn gwenwyn.'

Yr oedd y wireb am y perl yn wybyddus i John Bunyan hefyd ac fe wnaeth ddefnydd ohoni wrth gyflwyno ac amddiffyn ei lyfr enwog *Taith y Pererin* yn hytrach nac yn y testun ei hun. Y mae sawl cyfieithiad i'r Gymraeg ond does ond un fersiwn Saesneg – un gwreiddiol yr awdur. Defnyddia Bunyan yr hen ddywediad yn rhyw fath o amddiffyniad i'r gyfrol – os nad oes ynddo addurniadau eto fe gynnwys bethau gwerthfawr. Felly hefyd y llyffant, yr amffibia bach hyll a chwbwl ddiaddurn, eto fe gynnwys berl gwerthfawr yn ei ben.

Os gellir cael rhyw berlyn purlan
Gwerthfawr iawn, yn nghoryn llyffan(t)
A chaffael hefyd yn dra chywren,
'Run peth yn nghragen yr wystrywen;
Os ydyw pethau gwael i'w gweled
Yn dal peth gwell nag aur er hardded.

Gyda'r fath gyferbyniadau yn y wireb hon, ni ryfeddwn i'r Ficer Pritchard wneud defnydd ohoni gan ychwanegu gwirebau tebyg yn ei chylch yn ei gyfrol enwog – *Cannwyll y Cymry* (1776).

Cymmer berl o enau llyffan(t)
Cymmer aur o ddwylo aflan,
Cymmer ddysg o ben pechadur,
Gwrando'r 'Fengyl, Crist yw hawdur,
Pa fath bynnag fo'r pregethwr;

Mae'r hen Ficer wrth 'i fodd yn rhaffu'r cyferbyniadau yma i ddysgu moeswers i'r werin.

Wrth drafod y llyffant yn ei lyfr enwog *British Zoology* (1768-70) y mae'r naturiaethwr Thomas Pennant yn cyfeirio at wireb ein testun fel ofergoel. Credai'r hen 'sgrifenwyr – yn ôl Pennant, fod gan y llyffant garreg (neu berl) yn ei ben a oedd yn llwythog o rinweddau meddygol a dewinol. Ond, yn ôl Thomas Pennant, diflannodd y grym mympwyol yna o sylweddoli nad oedd yr holl syniad yn ddim amgen na ffosil o ddant blaidd-môr neu rhyw ddant pysgodyn tebyg. Eto, y mae Pennant yn brysio i ymesgusodi am ei feiddgarwch yn sarhau'r wireb gan i Shakespeare y bardd a'r dramodydd enwog gael cyffelybiaeth dda i'w ddrama ynddi. A phwy a feiddiai anghytuno â'r cawr hwnnw.

Ond i bwrpas canfod tarddle'r ddoetheb hon, y mae ffaith i dri o'r awduron hyn fod yn gwybod amdani yn siŵr o fod yn gliw i'r dirgelwch. Tybed a yw'n gyd-ddigwyddiad fod Shakespeare, Mathew Meade a John Bunyan o fewn pymtheg milltir i'w gilydd, y naill yn Leighton Buzzard, Bedford a Bunyan o Elston ar gwr Bedford a doedd William Shakespeare ond cwta ddeugain milltir oddi wrthynt yn Stratford-Upon-Avon. Dyna ranbarth o driongl gweddol gyfyng i'r gogledd o Lundain. Cyfieithwyd gweithiau dau o'r awduron hyn i'r Gymraeg – *Taith y Pererin* a *Llun Agrippa*. Fel y cyfeiriwyd ceir sawl cyfieithiad o *The*

Pilgrim's Progress Bunyan yn Gymraeg a hynny yn brawf mor boblogaidd oedd y gyfrol i'r Cymry, yn wir yr oedd mor boblogaidd â'r Beibl ei hun! Cyfieithwyd gwaith John Bunyan yn 1771 a'i gyhoeddi yng Nghaerfyrddin, cyfnod hynod o ddiddorol yn hanes Ymneilltuaeth Cymru. Tybed a fyddai yn deg dyfalu mai yng nghesail y cyfieithiadau hyn y daeth yr hen ddywediad am 'Berl ym mhen llyffant', i ardaloedd cefn gwlad Cymru?

Ond o ba le bynnag y daeth a sut bynnag y daeth mae hi yma o hyd ac wedi magu ei hystyr arbennig. Mynegiant o syndod ac o ryfeddod yw ei swyddogaeth i ni – rhyfeddod yr anghyffredin a'r annisgwyl, yn wir rhyw sbonc sydyn fel y llyffant ei hun mewn sylw ffraeth ac anghyffredin yn amlach na pheidio gan yr annhebyg. Mae'n debyg ein bod fel cenedl yn gyfoethocach o'r cymeriadau arbennig hyn na'r un genedl dan yr haul. Perthyn iddynt rhyw wreiddioldeb a ffraethineb anghyffredin mewn ymateb i sefyllfa neu atebiad i gwestiwn – Yr atebiad parod cwbwl ddi-gymhelliad a difeddwl.

Fe all y wireb fod ychydig yn gamarweiniol gan fod y cymeriadau hyn mor hoffus a hynod o ddeallus, ac nid yn annymunol a thwp fel y llyffant. Mae'r syniad o lyffant yn awgrymu'r annymunol a chan iddo ddeillio o'r penbwl mae'n hynod o ddwl. Mi fydda eglurhad yn Llŷn am greadur hynod o ddwl fel 'penbwl a fethodd fynd yn llyffant'. Byddai rhai yn troi'r enw llyffant yn ferf weithredol gan gyfeirio at blant anystywallt yn – 'llyffanta allan yn y glaw'. A dyna ddywediad arall digon cyffredin – 'yr hen lyffant gwirion'. Ond 'diw hyn ddim yn wir am gymérs yr ateb parod – dyma oedd cryfder areithiwr fel Lloyd George wrth gwrs.

'Does dim modd rhoi disgrifiad geiriol gofalus o'r rhain dim ond nodi enghreifftiau o'i harabedd a dry yn rhyfeddod prin neu sbonc annisgwyl i'n dychryn.

Yr oedd Ellis Roberts, Congl y Meinciau, hen saer gwlad yn siafio a'i wyneb yn wyn gan laddar a'i ben mor foel ag ŵy gŵydd. Cerddodd Mary Jones, Glanrhyd, cymdoges i fewn i'r tŷ heb gymaint â chnocio yn ôl arfer pobol ers talwm. 'Mae hi'n braf arnat ti Mari,' meddai'r saer fel cyfarchiad, – 'does dim rhaid i ti siafio.' 'Does dim rhaid i chitha wneud eich gwallt chwaith, Ellis Roberts,' medda Mary Jones.

Ar achlysur agor neuadd newydd y Sarn ar Fedi 5ed 1924, rhoddwyd gwahoddiad i gwmni Blodwen o Borthmadog i gadw cyngerdd. Yr oedd y lle'n llawn ymhell cyn amser dechrau a phob Dic, Twm a Harri yn chwyddo'r gynulleidfa. Ar hanner amser yr oedd toriad byr i bawb ymlacio. Gan mai yn sedd swllt a chwech yr eisteddai Dic Tanymynydd, sleifiodd allan i wlychu 'i big yn y *Penrhyn Arms* draws y ffordd. Brasgamodd yn ei ôl am ddrws y neuadd wedi ei ddisychedu, galwodd llais arno o dwll fel nyth colomen wrth y drws – 'Gwell iti ddangos dy stamp, Dic,' meddai llais llawn awdurdod. Heb gymaint ag arafu, atebodd Dic – 'Nid efo'r post y dois i, cerdded wnes i.'

Efo'i nain y magwyd Dic Fantol, tyfodd yn hogyn mawr trwsgwl a blêr. Byddai hen ddywediad yn Llŷn ers talwm fod plentyn a fagwyd efo'i nain yn debyg iawn i gyw gŵydd wedi'i fagu efo'r iâr, yr hen iâr ofn yn ei chalon iddo fynd i'r dŵr. Cafodd Dic yn hogyn mawr deuddeg oed fynd yn y cwch efo hen gimychwr o Borth Colmon. Cododd y gwynt gan luchio dŵr yn byfroclyd i'r cwch. Mewn dim o dro yr oedd tin trowsus Dic yn wlyb trwodd. Oerodd yr awel a daeth sbotyn o wlaw ar drwyn Dic. Yr oedd y gwynt yn ffyrnigo gan gorddi'r môr. Dechreuodd Dic Fantol grio'n uchel. Rhwng y dagrau a'r ochneidian cyhoeddodd i'r cimychiwr – 'mi ydwi isio mynd adra at nain.' Rhwyfai'r cychwr yn gwbwl ddidaro i ddannedd y gwynt. Toc ar uchai lais, meddai Dic – 'mi gai uffarn o gweir gin nain os y byddai wedi boddi.'

Aeth Dic efo dau arall i granca un prynhawn braf o haf ar greigiau Porth Colmon. Fel plant eraill y fro fe ddysgodd Dic Fantol granca o'i grud. Yn un o'r tyllau cyfarfu bawd Dic â bawd y cranc – caeodd bawd y cranc yn glo. Yr oedd y gwaew yn annioddefol ond yn waeth na'r boen fe sylwodd Dic fod y môr ar ei ffordd i mewn. Deuai'r môr yn nes nes o hyd. Dechreuodd Dic ymresymu efo'r cranc.

'Gwranda mae'r môr yn dŵad i mewn, wli, mae o o fewn ychydig fodfeddi i fy nhroed i rŵan.' Yn ei ofn rhoes Dic ei geg wrth geg y twll i geisio argyhoeddi'r cranc – 'Wli'r diawl gwirion os na wnei di ollwng mi foddwn ein dau.'

Byddai William Morris y gweinidog ac Owen Saith Aelwyd yn pasio'i gilydd rhwng y Queen's Head a Chapal Bryndu yn Sir Fôn. Byddai Owen ar ei ffordd o'r Queens a William Morris ar ei ffordd o'r seiat. Yr oedd Owen yn fwy sigledig nag arfer un nos Iau a'i freichiau ar led fel pe bai'r lôn yn rhy gul i'r ddau basio'i gilydd. Rhag bod yn anghwrtais rhoes y gweinidog gyfarchiad digon naturiol i Owen – 'Wedi meddwi eto heno Owen,' meddai – 'A finna hefyd,' medd Owen 'by return.'

Un bora oer yr oedd Owen ar do'r Queens Head yn ail osod llechi wedi storm y noson gynt. Ar hyn daeth gwraig y dafarn allan ar ei ffordd i ddal y trên. Galwodd ar Owen yn holi – 'Oes gynno chi newid chweigian Owen? Cafodd ateb gyda'r troad gan Owen – 'Nag oes wir mam,' meddai, 'a phe bai gen i, nid yn fama y baswn i ond i lawr efo'r gwesteion.'

Symudodd William Jones o'r tyddyn i fwthyn llai – Pant Distaw. Yr oedd merched y Gwasanaethau Cymdeithasol yn bla ar William. Yn wir doedd wiw iddo dagu nad oedda nhw yn disgyn arno fel gwenyn. Rhybuddiwyd William un pen bora y byddai raid gwneud asesiad ohono. Gair na fu erioed yng ngeirfa William Jones ac o ganlyniad bu'n pryderu'n ofnus am ddyddiau beth tybed oedd asesiad. Daeth y bora a chwedl William, daeth rhyw gloman o hogan fach a'i gwinedd hirion cochion yn berygl bywyd. Roedd ganddi drenglan anghelfydd o bapurau mewn bag plastig gwyn a beiros ddigon. Cyfarchai'r hynafgwr fel William ac weithiau fel Wil, fel pe baent yn yr ysgol efo'i gilydd. Holi stribedi o gwestiynau cwbwl ddi-fudd a dibwrpas oedd asesu wedi'r cwbwl. Nythai'r hogan wedi cyrlio'i choesau hirion oddi tani fel buwch yn gorwedd. Wedi dwyawr o gyfarfod ysgol yr oedd William Jones wedi blino'n lân. 'Last question,' meddai'r sbon huran fach fusneslyd – 'Fyddwch chi'n lecio teli?' – dim ateb. Aeth yr hogan yn ei blaen yn rhestru'r operâu sebon bob un, a William Jones yn fud hollol. Daeth cwestiwn eto gyda mwy o gymhelliad y tro hwn. 'Rwy'n siŵr y byddwch chi'n gwatchiad Neighbours,' meddai. Cafodd ateb pendant y tro hwn – *'Come, come William, you do watch Neighbours.'*

'Na,' meddai William, 'y neighbours fydd yn fy ngwatchiad i!'

Magodd Wil a Margiad Ty'n Twll duad mawr o blant mewn cyfnod tlawd rhyfeddol. Byddai plant Ty'n Twll yn absennol o'r ysgol yn barhaus, byddent yn ffureta, hel pricia a hel mwyar duon a chaws-llyffant a'r cyfan er ceisio cael dau ben llinyn ynghyd ym myd gwael y tri degau. O ganlyniad, mi fyddai Huw Edwards – Attendance Officer beth bynnag oedd ei enw, mi fyddai'n galw'n wythnosol yn Nhyn Twll.

Dyfalai Marged yn ddwys sut y cai wared â'r ymwelydd awdurdodol yma. Galwodd Huw Edwards yn gynnar yn Nhyn Twll un bore Llun ac er syndod iddo cafodd groeso a'i wadd i eistedd. Cyffesodd Margiad a'i phen yn ei breichiau ar y bwrdd. Eisteddai Huw Edwards yn gwbwl ddideimlad, fel y gwna pob swyddog mewn awdurdod. 'Mae yma hen siarad hyd y lle yma, Mr Edwards, fod yna rhywbeth rhyngom ni ein dau, gan eich bod chi'n dŵad yma o hyd.' Diflannodd awdurdod y swyddog a chododd ar ei draed. 'A wyddoch chi beth, Mr Edwards bach,' meddai Margiad, 'beth mae'r diawlad yn ei ddeud.' Roedd yr Attendance Officer yn glustiau i gyd – 'mae nhw'n deud fod Thomas John yr hogyn ieuenga yma yr un fath yn union a . . . ' Diflannodd Huw Edwards trwy'r drws cyn clywed fod Thomas John yn spitting image o'r dyn hel plant i'r ysgol! Welwyd dim lliw o Huw Edwards yn Nhyn Twll ar ôl y bore hwnnw. Dyna ichi berl ym mhen llyffant!

Bu farw Bob Carmel a ches alwad i fynd yno i ymweld â Nel ei chwaer, bu'r ddau drwy'i hoes yn ddau enaid hynod o agos beth bynnag am glos na chytûn. Roedd yr ieir a'r cathod ar yr aelwyd fel pe baent wedi deall fod Bob wedi marw. Yr oedd Nel wedi rowlio fel neidr mewn cadair fawr fawr ac ôl crio arni a dyma hi'n dechrau eto. Yr oedd Bob wedi gosod math o fynegbost ar dalcen y Garreg – Valley 7–m London 254m. Mecanic y glust oedd Bob nid theorïau o lyfrau. Cai alwad weithiau i drin injian llongau Caergybi – a fethodd o rioed. Ond roedd Bob wedi marw a Nel yn crio fel babi. Bu coblyn o angladd mawr i Bob ac fe'i claddwyd ym medd hen deulu enwog Tan y Bryn Carmel. Ym mhen yr wythnos es draw i Garmel i dalu ymweliad â Nel. Roedd y drws ffrynt ar agor, er fy syndod roedd helmet plismon ar bostyn cadarn y grisiau, wrth sawdl y postyn yr oedd desgyl bach bridd ac arni'r geiriau DOG yn fawr ac er fy syndod yr oedd cas gwn o ledr melyn yn hongian yn llaes ac amlwg rhwng y cotiau ar y palis. Bûm yn dyfalu am funud beth oedd y rhain, tacla digon diarth yn Nhan y Bryn. Curais yn drwm ar y drws gwydr a cherdded i fewn dan alw, 'Oes 'ma bobol?' Daeth llais main uchel o'r gegin, 'Cau y drws, mae yma rhyw hen gath fach dan y dresel yma yn disgwyl ei ffats i ddingid.'

Erbyn hyn roeddwn yn eistedd wrth ochr Nel ar y soffa. 'Arglwydd annwyl, mae yma le rhyfedd heb Bob wyddost ti,' cyffesai Nel.

'Oes yma blismon Nel?' holais. Gwenodd Nel.

'Wyt ti wedi cael ci, oes gen ti wn?'

'Naddo siŵr, isio'r hen blant diawl yma feddwl ydw i, y fi oedd ofn y basa nhw'n cymryd mantais, fy ngweld i fy hun,' medda Nel, 'Os na fydd gryf, bydd gyfrwys.'

Diwrnod mawr, dichon y mwyaf yng nghalendr y tyddyn ers talwm fyddai diwrnod y cai'r gaseg gyw bach, wedi'r cwbwl dyma'r anifail mwyaf gwerthfawr. Doedd Huw Ifans y Maes ddim yn flaenor efo'r Methodistiaid nac yn ddiacon efo'r lleill ac o ganlyniad roedd ganddo fwy o hawl i ddwrdio Rhagluniaeth pan elai pethau o chwith yn y tyddyn. Llawenhâi Huw o weld cyw newydd-anedig yr eboles yn ymdrechu i godi ar ei draed un bore. Ym mhen y rhawg synhwyrodd Huw Ifans nad oedd y cyw wedi cael yr un diferyn o laeth cyntaf ei fam, roedd hi'n amlwg fod yr eboles yn llawn goglais ac na allai'r cyw gyffwrdd â'i fam. Aeth Huw i'r frwydr! Arweiniai weflau'r cyw at bwrs ei fam, ond dyna lam ymlaen a hergwd i'r cyw a hwnnw yn bwrw rhwng dwy goes Huw Ifans. Ymlafniodd Huw yn lew a'r chwys yn llifeirio i lawr ei wyneb blin. Ildiodd y tyddynnwr wedi 'i lethu'n llwyr. Cododd ei olygon at i fyny – meddai, 'Pam o pam y rhoes yr Hollalluog bwrs caseg mewn lle mor anhwylus!'

Rhoes Thomas John ei fryd er yn ifanc iawn na fyddai fyth yn gweithio'r un gnoc ac yn wir mi lwyddodd yn rhyfeddol. Unig alwedigaeth Thomas John fyddai galw yn swyddfa'r dôl bob dydd Iau er mai'r enw Saesneg a roddai Thomas i'r lle – *Labour Exchange*. Rhyfeddai na fyddai rhywun yn y byd meddygol wedi llwyddo i daclo poen cefn, er yn ddistaw bach diolchai bob nos na chafwyd eto feddyginiaeth i'w anhwylder o. Byddai gwrthdaro cyson rhwng Thomas John a rheolwr y swyddfa. Byddai gan Thomas John gadwyn o atebion yn barod os y deuai bygythiad gwaith o unman, ac fe lwyddai bob tro i droi i lawr pob cynnig. Ar ei ffordd i'r swyddfa gofynnai Martha Ty Hen iddo fynd a'i chi bach am 'walkies' chwedl hithau, ond yn amlach na pheidio mi fyddai cefn Thomas John yn rhy ddrwg i gerdded y ci. Cyrhaeddodd Thomas John efo'i ffansi-dog benthyg un bore i Swyddfa'r Dôl. Ci byrgoes a chorff hir oedd Bonso. Sausage dog yn ôl ei berchennog ond i Thomas John ci sosinjars oedd o. Tynnai'r ci sylw pawb yn y Swyddfa y bore hwnnw a theimlai Thomas yn bwysig iawn gan sicrhau pawb mai ei gi ef oedd o – rhodd bersonol gan fodryb gefnog yn America. Gwelodd y rheolwr gyfla i dynnu Thomas John i lawr beg neu ddau. 'Mi rydwi yn lecio dy gi di Thomas John,' meddai. 'Pa frid ydio dŵad?' holodd gan obeithio clywed Thomas yn baglu dros 'sosinjars'. 'Milgi,' meddai Thomas John. 'Lle gwelaist ti filgi efo coesau mor fyr,' meddai'r swyddog dôl. 'Mi ddwedai wrtho chi,' meddai'r perchennog, 'mi rydan ni'n dau wedi crwydro a cherdded yr hen Sir yma i chwilio am waith nes mae ei goesau bach wedi gwisgo i'r byw.'

Yn wahanol i Thomas John yr oedd Wil Ty'n Twll yn un dygn am waith, yr oedd yn saer cerrig gyda'r gorau.

Cai waith pryd a fynnai yn codi waliau cerrig yn y Rheithordy gan fod Canon Jones, yn ôl y sôn yn bechadurus o gefnog. Yr oedd Wil wrthi'n walio ar fore oer o Ionawr a gwynt y dwyrain yn blingo. Tosturiodd y Canon tua chanol bore ac aeth draw at Wil gyda gwydriad bach o'r wisgi gorau. Gwnâi'r Canon Jones bopeth yn ôl defod a steil ei fagwraeth – rhoes y gwydryn a photel dal o wisgi ar dre arian, 'Cymer diferyn Wil i warmio dy inside di.' Ychydig iawn o Gymraeg a wyddai Ffowcs Jones ac ychydig o Saesneg a wyddai Wil. Gyda'r ychydig gymhelliad ar Wil diflannodd y gwydryn wisgi a Wil yn llyfu'i geg fel cath wedi dwyn hufen. 'Slow down William,' meddai'r Canon, 'bydd hwnna yn hoelen yn dy coffin di cofia yn llosgi dy inside.' 'Wel,' meddai Wil, 'tarwch hoelen arall tra mae'r twls yn eich llaw.'

Dilynwyd y Canon gan y Parch. Lambert Jones. Roedd gan y Person hwn foto-beic a brynodd gan Dr Edwards, Bodedern, yn ôl rhai yr oedd y peiriant wedi gweld dyddiau gwell. Yr oedd William Rowlands yn ffyl mêts efo'r person newydd eto er mai yn Salem efo'r Calfiniaid yr oedd ei diced, chwedl Wil.

Gwelid y person newydd yn cerdded efo'r moto-beic yn amlach o lawer nac y byddai'n marchogaeth. 'Mi ryda chi fel dau gariad yn cerdded ym mreichiau eich gilydd,' medda Wil. Gan fod Wil mor wybodus ym mhob maes, gofynnodd y Parch. Lambert Jones am ei gyngor ynglŷn â'r moto-beic, a dyma fo am ei werth. 'Fel hyn y byddai Dr Edwards yn wneud os y byddai cam hwyl ar y beic, cicdanio am bwl, ac yna rhegi am bwl, ac mi fyddai'n siŵr o danio yn y diwedd. Ylwch Mr Jones, pam na wnewch chi gicio ac mi rega inna.'

Comiwnydd oedd Hugh Jones y Simdde Wen, mae'n debyg mai ef oedd yr unig gomiwnydd yng ngogledd Môn ac i ychwanegu at ei bechodau prynai bapur newydd yr Observer bob Sul a'i ddarllen. Nid rhyfedd i bobol dda y Llan gredu fod Hugh Jones wedi 'i farcio ar gyfer uffern dân. Yn haf '69, trefnodd y Cyngor Plwyf i roi te parti i bensiynwyr y plwyf. Aeth dwy wraig o'r Pwyllgor Arwisgo i wahodd y Senior Citizens i'r wledd, yn ôl Hugh Jones *'very nice ladies.'* 'Mi ddown ni yma i'ch nôl chi efo'r car, a'ch danfon yn ôl ar ôl te,' meddai, 'nice ladies.' Ar hyn dyma Hugh Jones yn rhoi tro yn ei gadair, 'Cyn i chi fynd dim pellach mae'n bwysig ichi ddeall 'mod i'n Anti-Royalist yn Anti-Investiture ac yn anti lot fawr o bethau eraill.' Mewn ymgais i amddiffyn y goron mi dd'wedodd un o'r 'nice ladies' – 'Mae'r Prins wedi dysgu'n hiaith ni.' Cyn iddi fynd gam ymhellach dyma Hugh yn torri ar ei thraws – 'Mi faswn innau yn dysgu French pe cawn ni Ffrainc am wneud,' meddai.

Mi roedd trefnu'i hangladd yn bwysig i do hŷn o gymers. Un nos Wener wyntog a gwlyb ganol Tachwedd aeth Hugh Jones i alw ar Richard Jôs y sgŵl i ofyn am le i'w gladdu ym mynwent Ebeneser. Yr oedd rhyw si yn y pentre y byddai pwyllgor y fynwent yn cyfarfod wedi'r oedfa y nos Sul dilynol i ystyried prisiau claddu. 'Wel Huw Jôs annwyl dim heno ar y fath dywydd,' meddai Richard Jôs – 'Heno plîs Mr Jôs,' meddai Hugh. Aeth y ddau drwy'r glaw a'r gêl i chwilio bedd i'r Comiwnydd. Cerddodd y ddau, y Comiwnydd a'r diacon rhwng y cerrig beddau yn chwilio am lecyn i gladdu'r anwylaf o blant dynion. Haera Huw Jôs nad oedd o isio gorwedd am dragwyddoldeb wrth ochor rhyw ddiawl na fedrai ddim byw efo fo yma ar y llawr. Dyma floedd rhwng y beddau, 'yn fama plîs Mr Jôs' yr oedd Huw wedi ffendio man addas wrth ochor rhyw John Thomas, Grammer Scŵl Stourbridge. Ar eu ffordd adra fe droes Hugh Jones at ysgrifennydd y fynwent gyda chwestiwn holl bwysig, 'Mae'r hen bris yn dal debyg Mr Jôs?'

Fe gafwyd perswâd ar Hugh Evans y Maes i wneud ei ewyllys, yr oedd yn naw deg tri oed erbyn hyn. Yn unol ag arfer yr oes, prifathro'r ysgol a luniai pob ewyllys. Aeth Williams y sgŵl draw i'r Maes yn hwyr un nos Lun, wedi'r cwbwl gorchwyl gyfrinachol iawn oedd llunio testament olaf neb. Yng ngolau hen lamp baraffin a help y gannwyll ar y bwrdd mi luniwyd ewyllys Hugh Evans. Ym mhen pythefnos yr oedd Hugh Evans wedi gwahodd y sgŵl draw eto i wneud ewyllys yr hen lanc am fod rhai a oedd yn yr ewyllys wedi pechu yn ei erbyn, a dyna newid petha. Bu cryn newid ar yr ewyllys dros y misoedd dilynol. Ond ar un achlysur fe synhwyrai Williams y sgŵl mai hon fyddai'r olaf. Daethant at yr eitem bwysicaf un. Meddai'r ysgol feistr, 'Pwy sydd am gael y Maes, cartra'r tyddynnwr y tro yma?' Wedi stwnshian yn hir a chodi ar ei draed gan daro'r bwrdd yn nerthol â'i ddwrn, cyhoeddodd Hugh Evans, 'Chaiff diawl o neb hi, mi rydwi ishio hi fy hun.'

Ffynonellau

Fauna Britannica (2000) Steffan Buczacki

William Shakespeare, *As you like it,* Act 2 Scene 1.

John Bunyan, *Pilgrim's Progress,* The Author's Apology for his book/89.

Alexander Neckham (1157-1217), *De Naturis Rerum.*

Mathew Meade, *The Almost Christian Discovery* 1661.

Jencin Jones, Llun Agrippa, Cyfieithiad o *The Almost Christian* Caerfyrddin 1723.

Thomas Lupton, *One Thousand Notable Things* 1579.

Thomas Nashe, *Anatomie of Absurditie,* 1589.

Bexewer's, *Dictionary of phrase and fable* 15th ed. 1996.

Thomas Pennant, *British Zoology,* London 1768-70, Vol. 3 of 4.

Rhys Pritchard (Y Ficer Pritchard), *Cannwyll y Cymry,* Caerfyrddin 1776.

Sgyrsiau Noson Dda